Alphonse Desjardins à sa table de travail vers 1907. Photo attribuée à Lord Grey, gouverneur général du Canada, lors de sa visite à Lévis.

Société historique Alphonse-Desjardins.

Desjardins
100 ans d'histoire

Desjardins
100 ans d'histoire

Préface de
Claude BÉLAND

Pierre POULIN

avec la collaboration de

Pierre GOULET
et Andrée RIVARD

Données de catalogage avant publication (Canada)

Poulin, Pierre, 1956-

Desjardins, 100 ans d'histoire

Comprend des réf. bibliogr.
Publ. en collab. avec : Éditions Dorimène.

ISBN 2-89544-001-8

1. Mouvement des caisses Desjardins – Histoire. 2. Desjardins, Alphonse, 1854-1920. 3. Caisses d'épargne et de crédit – Québec (Province) – Histoire. I. Goulet, Pierre. II. Rivard, Andrée, 1962- . III. Titre

HG2039.C2P682 2000 334'.22'09714 C00-940567-4

Maquette des pages intérieures et de la couverture :
Charaf El Ghernati

Révision linguistique : Solange Deschênes

Correction des épreuves : Raymond Deland

Photographies au début des chapitres : Mia et Klaus

Couverture : Illustration de Philippe Béha (détail)

ISBN 2-89544-001-8

Dépôt légal – Bibliothèque nationale du Québec, 2000

Dépôt légal – Bibliothèque nationale du Canada, 2000

ÉDITIONS MULTIMONDES

930, rue Pouliot

Sainte-Foy (Québec)

G1V 3N9 CANADA

Téléphone : (418) 651-3885

Téléphone sans frais : 1 800 840-3029

Télécopie : (418) 651-6822

Télécopie sans frais : 1 888 303-5931

Courriel : multimondes@multim.com

Internet : http://www.multim.com

LES ÉDITIONS DORIMÈNE

Confédération des caisses populaires
et d'économie Desjardins du Québec

100, avenue des Commandeurs

Lévis (Québec) G6V 7N5

Téléphone : (418) 835-8444, poste 2203
ou 1 800 463-4810, poste 2203

Télécopie : (418) 835-3809

Internet : http://www.desjardins.com

PRÉFACE

Mettre en mots et en images 100 ans d'histoire est un exploit en soi, quand on sait que l'époque actuelle est à la spécialisation à outrance ; cet exploit est d'autant plus réel que l'histoire ne tourne pas seulement autour d'un seul homme, mais de milliers d'hommes et de femmes qui forment une longue chaîne sur un siècle complet. C'est le cas du Mouvement des caisses Desjardins.

Or, qui dit chaîne dit chaînon. Et le plus important est sans conteste Alphonse Desjardins sans qui ni vous ni moi ne serions ici pour célébrer le centenaire d'une des plus belles, sinon de la plus belle réussite des Québécois. Je parle certes d'une réussite financière, mais aussi d'une grande réalisation sur tous les plans : humain, social, économique et démocratique.

Grâce à la plume de Pierre Poulin, historien à la Société historique Alphonse-Desjardins, des tranches importantes de l'histoire du Mouvement Desjardins nous sont maintenant connues. Mais ce sont des ouvrages d'érudition qu'il faut prendre le temps de déguster lentement. Ce que Pierre Poulin et ses collaborateurs nous offrent ici, c'est à la fois un album souvenir, comme le commande un événement d'une telle importance, et un essai de reconstitution de tous les rouages de ce grand Mouvement dont la vitesse n'a cessé d'augmenter au fil des décennies.

Il peut paraître paradoxal de parler de chaîne quand ceux qui la constituent nous ont forgé le plus magnifique outil d'émancipation économique. C'est bien là la preuve que les instruments deviennent ce que les personnes en font. Ainsi, après Alphonse Desjardins et son épouse Dorimène – à qui nous rendons hommage en fondant les éditions qui portent son nom –, il y a eu les Vaillancourt, Girardin, Rouleau, Blais et plusieurs autres.

Mais au-delà de ces chefs qui sont autant de jalons de notre histoire, il y a les milliers d'anonymes – hommes et femmes – qui, comme dans une course à relais, passent le témoin. Mon tour est venu de le faire, et je le fais avec d'autant plus d'émotion que j'ai le sentiment que nous avons, avec d'autres, pris l'un des virages les plus difficiles de notre histoire, sans jamais ralentir la cadence ni dévier de notre route. Cela ne veut pas dire que ceux qui assument maintenant la relève auront la tâche plus facile que nous, mais nous avons la conviction d'avoir fait de notre mieux pour que tous ensemble, jeunes et moins jeunes, nous soyons toujours les premiers.

Cent ans d'histoire, c'est à la fois beaucoup et peu. C'est beaucoup, et c'est même héroïque, quand on sait d'où nous sommes partis, mais c'est peu pour apprendre à se tailler une place dans un univers financier où chacun cherche à mettre l'autre en échec. Notre mission à nous – et notre histoire nous le rappelle avec éloquence – n'a jamais été et ne sera jamais de faire échec aux autres, sinon à ceux qui voudraient empêcher les Québécois et les Québécoises d'assumer pleinement et démocratiquement leur avenir économique et financier. Ceux-là trouveront toujours sur leur route des hommes et des femmes, tels Alphonse et Dorimène Desjardins ainsi que tous ceux et celles qui ont pris exemple sur eux, pour réaffirmer les valeurs fondamentales qui ont fait du Mouvement des caisses Desjardins ce qu'il est et ce qu'il doit rester.

Claude BÉLAND

Remerciements

Ce livre a été réalisé avec l'aide de plusieurs collaborateurs et collaboratrices que je remercie très chaleureusement. Pierre Goulet, rédacteur en chef de *La Revue Desjardins*, a pris part à la planification du projet, en plus d'assumer le travail d'édition et de superviser l'iconographie. Andrée Rivard, assistante de recherche à la Société historique Alphonse-Desjardins (SHAD), a participé à la recherche documentaire, à la recherche des illustrations et à la rédaction des encadrés et des quatre derniers chapitres. Guy Cameron, conseiller en développement coopératif à la Confédération des caisses populaires et d'économie Desjardins du Québec, a ajouté une touche de vécu à ce survol historique en relatant, avec une pointe d'humour, quelques-uns de ses souvenirs de fils de gérant de caisse.

Francis Leblond, archiviste à la Confédération, nous a maintes fois aidé à trouver documents d'archives et photographies. Toujours à la Confédération, Gilles Soucy, économiste en chef, Mario Couture, économiste, et Geneviève Bastien nous ont aimablement fourni des compléments d'information et des statistiques à jour.

Michel Doray, directeur administratif à la SHAD, Micheline Paradis, directrice Édition et publications à la Confédération, et Guy Cameron ont relu notre texte, en tout ou en partie, et nous ont fait d'utiles suggestions.

Solange Deschênes, linguiste, a révisé le texte. Micheline Paradis, directrice des Éditions Dorimène, Lise Morin et Jean-Marc Gagnon des Éditions MultiMondes n'ont ménagé ni le temps ni les efforts pour produire un ouvrage d'aussi belle tenue.

Merci enfin à Marie, ma compagne et ma complice.

Table des matières

Mia et Klaus

Les 13 chapitres de cet ouvrage s'ouvrent, chacun, sur une photographie de Mia et du regretté Klaus. Toute leur vie, ces deux grands artistes ont sillonné les diverses régions du Québec et en ont fait partager des images saisissantes et sublimes. Pour célébrer son centenaire, le Mouvement des caisses Desjardins vous les offre comme un bouquet de pensées nous rappelant qu'à la base de la coopération, il y a d'abord les gens.

INTRODUCTION

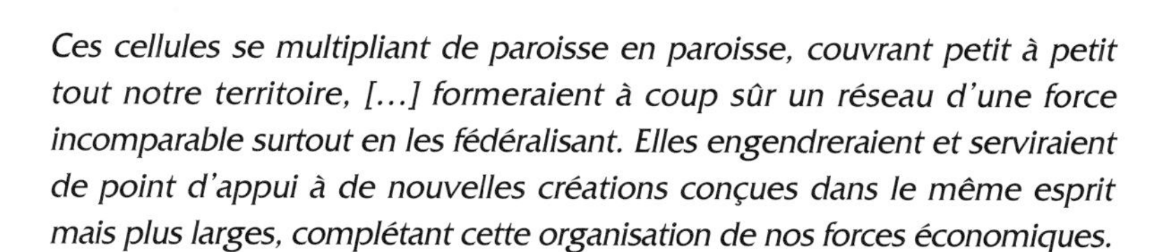

Ces cellules se multipliant de paroisse en paroisse, couvrant petit à petit tout notre territoire, [...] formeraient à coup sûr un réseau d'une force incomparable surtout en les fédéralisant. Elles engendreraient et serviraient de point d'appui à de nouvelles créations conçues dans le même esprit mais plus larges, complétant cette organisation de nos forces économiques.

Alphonse Desjardins, « L'union des forces sur le terrain économique », *La Vérité*, 1er octobre 1910, p. 82-83.

L'an 2000 marque le centième anniversaire de la Caisse populaire de Lévis, première pierre du vaste édifice financier qu'est aujourd'hui le Mouvement des caisses Desjardins. En mettant sur pied cette coopérative d'épargne et de crédit, le 6 décembre 1900, Alphonse Desjardins apportait beaucoup plus qu'un instrument de crédit populaire destiné à combattre l'usure. Il proposait aux Québécois un véritable outil d'organisation économique qui allait leur permettre de regrouper leurs épargnes et d'agir collectivement pour prendre en main le développement de leur milieu. Après avoir étudié attentivement les résultats de l'activité des coopératives européennes, Alphonse Desjardins savait bien ce que l'on pouvait attendre de ce genre d'entreprises, et son rêve était de répéter ici l'expérience de pays comme l'Allemagne ou le Danemark où la coopération était à la source de progrès économiques remarquables. « Qu'on ne s'étonne pas, disait-il, de notre sollicitude toute spéciale pour les Caisses Populaires avec lesquelles notre nom s'est un peu identifié, cette sollicitude n'est pas le fruit d'une préférence irraisonnée, mais de la conviction profonde qu'elles doivent être à la base de cette réorganisation économique de nos populations[1]. »

L'histoire lui aura donné raison. Le Mouvement des caisses Desjardins est aujourd'hui la première institution financière au Québec et la sixième au Canada. Ce réseau coopératif de services financiers, qui regroupe 1 143 caisses et de nombreuses filiales actives dans les domaines de l'assurance de personnes, de l'assurance de dommages, des services fiduciaires, de la gestion de fonds, du courtage en valeurs mobilières et de l'investissement, figure parmi les principaux leviers économiques du Québec. On l'a souvent dit, le Mouvement Desjardins est l'une des plus belles réussites collectives des Québécois, une réussite dont ils sont particulièrement fiers, parce qu'elle témoigne de leur savoir-faire

1. Alphonse Desjardins, « L'union des forces sur le terrain économique », *La Vérité*, 24 septembre 1910, p. 75.

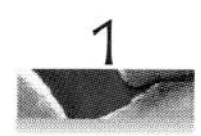

et qu'elle constitue un puissant symbole de la montée de leur influence économique.

Maintenant que s'achève le xxe siècle, les premiers bilans le font ressortir clairement : l'un des faits dominants de l'histoire du Québec au cours de ce siècle aura été la reconquête de l'économie par les francophones[2]. Peu représentés dans la propriété des grandes entreprises et absents des centres de décision économiques, ils ont su, à partir de la fin des années 1930, et de façon encore plus éclatante à partir des années 1960, se tailler une place dans la plupart des grands secteurs de l'économie.

Mesuré en nombre d'emplois, le contrôle de l'économie du Québec par les francophones s'est accru de façon continue de 1961 à 1991, passant d'un peu moins de la moitié à près des deux tiers de l'économie[3]. Et c'est d'ailleurs dans le secteur des institutions financières que la progression a été la plus spectaculaire. Estimé à 25,8% en 1961, le pourcentage des emplois rattachés à des entreprises sous contrôle francophone s'est élevé jusqu'à 58,2% en 1987, avant de redescendre à 53,7% en 1991 à la suite de la vente de certains éléments d'actif[4]. Pareil résultat n'aurait jamais été atteint sans la présence du Mouvement Desjardins qui, avec ses 37080 employés, est aujourd'hui le principal employeur privé au Québec.

Un centième anniversaire, c'est une consécration ; c'est un hommage que le temps rend aux œuvres et aux institutions les plus utiles, à celles qui savent s'adapter à l'évolution des besoins et durer malgré les obstacles qui, tôt ou tard, se dressent sur leur chemin. Un centième anniversaire, c'est aussi l'occasion de mesurer la contribution du temps dans le chemin parcouru. Et, du temps, il en a fallu pour que les caisses Desjardins prennent leur envol, pour qu'elles s'installent dans la plupart des communautés locales, pour qu'elles soient en mesure d'investir collectivement dans la propriété de sociétés filiales et pour qu'elles en viennent à former le solide réseau financier que l'on connaît aujourd'hui.

Le temps, facteur indispensable

Il est d'ailleurs étonnant de constater à quel point Alphonse Desjardins misait sur le temps pour l'accomplissement de ses projets, à quel point il faisait du temps un allié. Il écrivait à ce sujet : « En entreprenant une œuvre aussi vaste que l'est l'organisation méthodique et permanente de nos forces économiques, il serait puéril de s'attendre à un succès rapide[5] ». « Il importe [...] ajoutait-il, de se dépouiller de l'ambition dangereuse de sacrifier la solidité des progrès recherchés à la rapidité de leur réalisation. [...] Reconnaître que le temps est un

2. Paul-André Linteau, « Les francophones reconquièrent l'économie », dans Roch Côté (dir.), *Québec 2000*, Montréal, Fides, 1999, p. 110.

3. François Vaillancourt et Michel Leblanc, *La propriété de l'économie du Québec en 1991 selon le groupe d'appartenance linguistique*, Québec, Office de la langue française, 1993, p. 49.

4. *Ibid.*, p. 43 et 48.

5. Alphonse Desjardins, « L'union des forces sur le terrain économique », *La Vérité*, 8 octobre 1910, p. 90-91.

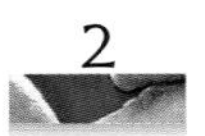

facteur indispensable sera un gage de la solidité de l'œuvre édifiée[6]. »

Ses successeurs ont privilégié la même approche en adoptant des perspectives à très long terme et en faisant preuve d'une conscience aiguë de la nécessité de s'associer le temps. « Dans dix ou quinze ans, projetait Cyrille Vaillancourt en 1938, nous ne nous reconnaîtrons plus, tant la transformation sera grande[7]. » On travaillait manifestement en fonction de l'avenir et au bénéfice des générations futures.

S'engager dans une œuvre qui exigeait un important travail d'éducation économique, vouloir organiser le crédit populaire sur la base de l'épargne populaire, faire appel à la capacité d'initiative des personnes et à leur sens de la solidarité, miser sur la participation et sur la démocratie, refuser toute aide de l'État à moins qu'elle ne serve exclusivement à financer les activités de propagande et d'inspection, tout cela faisait du temps un partenaire indispensable.

L'expansion du réseau des caisses Desjardins a d'ailleurs été très lente. Ce n'est qu'à partir de 1935, dans la foulée d'une réaction concertée pour lutter contre la crise économique, que des progrès notables ont pu être observés. Jusque-là, les fermetures de caisses avaient maintes fois ralenti l'expansion du réseau. En 1935, le nombre de caisses fermées atteignait 135, soit à peu près le tiers de toutes les caisses fondées depuis les débuts en 1900. Le manque d'expérience du gérant, de la gérante ou des dirigeants, et les carences au niveau de l'inspection étaient les principales causes de ces échecs.

On a mis beaucoup de temps aussi à assurer la sécurité des caisses. Ce n'est qu'en 1925 qu'une loi a rendu l'inspection obligatoire. Avant la création de la fédération provinciale en 1932, les unions régionales n'ont jamais réussi, faute de ressources suffisantes, à assurer une inspection régulière et de qualité. Quant au fonds de sécurité, qui est pourtant un instrument indispensable pour assurer la sécurité financière du réseau, il n'a été créé qu'en 1948.

Pendant longtemps l'influence économique des caisses est demeurée marginale à l'échelle de la province. C'est seulement après la Seconde Guerre mondiale que l'étendue de leur réseau et la taille de leur actif leur ont permis de sortir de l'ombre et de faire sentir véritablement leur présence. En matière de crédit, c'est seulement à cette époque qu'elles ont commencé à jouer un rôle significatif dans le domaine du prêt hypothécaire.

L'impulsion est venue des besoins

Pendant tout ce temps, des hommes et des femmes désireux de contribuer au développement de leur milieu ne cessaient de croire à l'utilité des coopératives d'épargne et de crédit. Si le réseau des caisses a pu croître, c'est d'abord parce qu'il répondait à une nécessité. L'impulsion est venue des besoins : besoins de crédit des agriculteurs, des petits producteurs et des classes salariées et besoins de développement économique d'une société dépendante qui voulait se redonner une emprise sur son destin.

6. Alphonse Desjardins, « Mémoire sur l'organisation de l'agriculture dans la province de Québec », dans Cyrille Vaillancourt et Albert Faucher, *Alphonse Desjardins. Pionnier de la coopération d'épargne et de crédit en Amérique*, Lévis, Le Quotidien, 1950.

7. Cyrille Vaillancourt, « L'épargne », *La Caisse populaire Desjardins*, 4,1 (janvier 1938), p. 2.

L'impulsion a été d'autant plus forte que, jusqu'à la Révolution tranquille, l'État québécois intervenait le moins possible et laissait à l'initiative privée le soin de satisfaire une grande partie des besoins sociaux et économiques. Il n'agissait souvent qu'en cas d'urgence et ses interventions avaient un caractère ponctuel.

Cette attitude a sans doute provoqué des retards, mais elle a eu au moins le mérite de stimuler les capacités d'initiative au sein de la population. Face à l'inaction de l'État, plusieurs organisations privées se sont chargées de lancer des mouvements d'éducation et d'organisation économiques. Compte tenu des moyens limités dont on disposait, il a fallu miser sur le temps. Lents à venir, les résultats se sont en revanche avérés très durables.

On a souvent présenté la première moitié du XXe siècle comme une période de grande noirceur, qui aurait pris fin momentanément avec la Révolution tranquille. Cette vision des choses est de plus en plus contestée aujourd'hui. On constate qu'il s'est réalisé au cours de cette période un véritable travail d'organisation économique, lent mais constant, et dont les fruits ont grandement facilité la modernisation du Québec.

Cet album produit à l'occasion du centenaire propose un survol de l'histoire du Mouvement Desjardins qui tente de dégager les grandes étapes et les moments les plus significatifs de son évolution. Faire l'histoire du Mouvement des caisses Desjardins, c'est lever le voile sur un grand pan de l'histoire du Québec au XXe siècle, celui de l'organisation économique et du développement, et aller à la rencontre d'une foule de héros méconnus, profondément attachés aux valeurs de solidarité et d'entraide de la coopération et dont le travail patient et persévérant a joué un rôle indispensable dans l'affirmation économique des Québécois.

1900-1920

Premiers pas

La formule coopérative
[…] repose sur le postulat
suivant lequel la personne
est un être libre et social
aspirant au bien-être
et au bonheur.

Claude Béland

Président du Mouvement
des caisses Desjardins
de 1987 à 2000.

CHAPITRE 1

« Ce sera la gloire de Lévis... »

Au Québec, le XXe siècle s'ouvre dans un climat de prospérité économique. Le commerce, l'industrie, l'agriculture, tout va bien. Les marchés de l'Ouest canadien, de l'Angleterre et des États-Unis offrent de nombreux débouchés aux produits agricoles et manufacturés et c'est avec optimisme que l'on envisage l'avenir. « Le XXe siècle sera le siècle du Canada », a déclaré le premier ministre Laurier.

Il est vrai que les signes de progrès sont nombreux. Au cours de la seconde moitié du XIXe siècle, le réseau de chemins de fer n'a cessé de s'étendre, de réduire les distances entre les régions et de rapprocher villes et campagnes ; le téléphone et l'éclairage électrique, apparus dans les années 1880, recrutent continuellement de nouveaux abonnés ; les tramways électriques ont commencé à circuler à Montréal en 1892 et à Québec en 1899. Quelques automobiles sillonnent déjà les rues des grandes villes. La première, une Léon-Bollée fabriquée en France, aurait roulé à Québec dès le mois de mai 1897. Le gramophone (1887) et le cinématographe des frères Lumière (1894) continuent d'exercer leur fascination.

Les villes sont en pleine expansion sous la poussée de l'industrialisation. En 1901, la proportion de la population urbaine s'élève à 36 %, et Montréal qui est, de loin, la plus grande ville, compte au-delà de 260 000 habitants. De nouvelles industries axées sur la mise en valeur des ressources naturelles, comme celles de l'hydro-électricité, de la pâte de bois et du papier, émergent aux côtés des entreprises actives dans les secteurs plus anciens de l'alimentation, du cuir, du textile, du vêtement, du bois, du fer et de l'acier. Si l'organisation de l'agriculture laisse toujours à désirer, l'amélioration des techniques, l'utilisation d'instruments mécanisés et un début de spécialisation annoncent des progrès.

Dix heures par jour, six jours par semaine

Mais la croissance économique et les avancées de la technologie ne modifient guère les conditions de vie de la population qui restent très difficiles. Les trois dernières décennies du XIXe siècle ont été marquées par des périodes de dépression économique répétées, dont les effets sur les salaires des ouvriers et des ouvrières et sur les revenus des agriculteurs ont été dévastateurs. La pauvreté et la misère ont provoqué l'émigration en Nouvelle-Angleterre de 325 000 Québécois entre 1861 et 1901. Au cours des années 1890 seulement, plus de 100 000 Québécois sont allés s'établir dans le pays voisin dans l'espoir d'améliorer leur sort.

L'emploi et de meilleurs salaires attirent les Canadiens français vers les villes industrielles de la Nouvelle-Angleterre.
Les livreurs de la Manchester Coal and Ice Company (Boulanger et Frères, vers 1900).
Le Magazine Ovo, 12, 46 (1982).

La classe ouvrière reste soumise aux conditions de travail les plus dures. Dans les secteurs mous comme ceux du textile, de la chaussure ou du tabac, où les tâches accomplies par les ouvriers n'exigent que des qualifications minimales, le salaire est insuffisant pour subvenir aux besoins essentiels d'une famille. Les femmes n'ont pas le choix de trouver un travail pour compléter le revenu familial, et il n'est pas rare que les enfants soient aussi mis à contribution. En général on travaille dix heures par jour, six jours par semaine. De fréquentes périodes de chômage dues à la maladie, aux accidents de travail ou aux fermetures d'usines ajoutent à la précarité de la situation économique des travailleurs. Comme les mesures sociales étatiques sont à peu près inexistantes, les gens ne peuvent trouver secours que dans la charité ou la solidarité familiale.

Des quartiers insalubres

Les familles ouvrières ont beaucoup de mal à se loger convenablement. À Montréal, elles vivent dans des quartiers insalubres, dépourvus d'espaces verts, où les maladies prolifèrent. À la fin du XIXe siècle, Montréal est l'une des villes les plus malsaines du monde occidental. D'après Terry Copp, une seule ville se signale par un taux de mortalité infantile plus élevé que le sien : Calcutta[1].

Les conjonctures économiques et des problèmes d'organisation font de l'agriculture une activité peu rentable. De 1873 à 1896, les agriculteurs doivent composer avec des prix agricoles en baisse pendant que les prix des produits manufacturés connaissent des augmentations. Pour se tirer d'affaires, plusieurs cherchent à améliorer la productivité de leur exploitation. C'est ce qui les pousse à acquérir une spécialité, à faire usage d'engrais, à pratiquer la rotation des sols, à mécaniser leur ferme et à en augmenter la superficie. Mais ces investissements nécessitent des emprunts qu'il est difficile d'obtenir vu l'inexistence d'un système de crédit agricole. On doit donc recourir à des prêteurs qui exigent souvent des taux usuraires. Les témoignages abondent sur les ravages de l'usure dans les campagnes. Dans son ouvrage intitulé *L'Avenir du peuple canadien-français*, écrit en 1896, Edmond de Nevers y voit d'ailleurs l'une des grandes causes de l'émigration aux États-Unis[2].

Installations de la Quebec Railway, Light, Heat & Power, à Lévis, en 1912.
The Town of Levis & Environs, P.Q. Canada, 1912, Montréal, Published by the Commercial Magazine, Co., Limited, p. 22.

1. Terry Copp, *Classe ouvrière et pauvreté. Les conditions de vie des travailleurs montréalais, 1897-1929,* Montréal, Boréal Express, 1978, p. 23.
2. Edmond de Nevers, *L'Avenir du peuple canadien-français*, Montréal, Fides, 1976 (c1964).

À l'extrême droite, on aperçoit Alphonse Desjardins (debout) et Louis-Georges (assis), en compagnie de leurs frères et de leur sœur.
Société historique Alphonse-Desjardins.

Alphonse Desjardins

Bien des gens qui ont à cœur le développement recherchent activement des solutions pour améliorer le sort de la population québécoise. Mais peu le font avec autant d'application et autant de vision que le sténographe français de la Chambre des communes, Alphonse Desjardins, qui va lancer en 1900 la Caisse populaire de Lévis. Âgé de 46 ans, cet ancien journaliste devenu responsable de la transcription des débats en français à la Chambre des communes, à Ottawa, est un homme profondément engagé dans le développement de son milieu. Depuis le début de sa carrière, il a pris part aux activités d'associations à vocation religieuse, culturelle, sociale et économique, entre autres l'Institut canadien de Lévis, dont il est président en 1883, et la Chambre de commerce de Lévis, où il siège durant plusieurs années au conseil d'administration. Il a aussi participé à des campagnes électorales à titre d'organisateur dans le camp des conservateurs.

Naissance à Lévis

Desjardins naît à Lévis, le 5 novembre 1854. Fils de François Roy, dit Desjardins, et de Clarisse Miville dit Deschênes, il est le huitième d'une famille de 15 enfants. Desjardins est élevé dans une grande pauvreté. Son père, ancien cultivateur devenu journalier, éprouve de fréquents problèmes de santé, ce qui force Clarisse à travailler comme femme de peine chez des voisins pour joindre les deux bouts.

Alphonse Desjardins.
Aquarelle d'après une photographie.
CCPEDQ.

Après ses études primaires à l'école Potvin de Lévis, Desjardins fréquente tout de même le Collège de Lévis jusqu'à l'âge de 15 ans. Il quitte l'institution en 1870, après avoir suivi les quatre classes du cours commercial et la première du cours de latin. Studieux de nature et capable d'exceller, Alphonse Desjardins aurait sans doute terminé son cours classique si ses parents en avaient eu les moyens. Il s'enrôle plutôt au sein du 17e bataillon d'infanterie de Lévis où son frère aîné, Louis-Georges, est adjudant. Le 17 octobre 1871, détenant le grade de sergent-major, Desjardins est envoyé en expédition à la Rivière-Rouge (Manitoba) avec un contingent de renfort chargé de contrer une invasion de Féniens[3] en territoire canadien.

Au retour de cette mission, qui n'aura duré que quelques mois, Desjardins décroche un emploi à *L'Écho de Lévis*, journal conservateur. En 1876, il passe au *Canadien*, un quotidien de Québec dirigé par Joseph-Israël Tarte et dont son frère Louis-Georges est copropriétaire depuis 1875.

En 1879, après sept ans de journalisme, Desjardins devient rapporteur des débats à l'Assemblée législative (Québec). Le changement n'est pas si grand puisqu'il occupait déjà, depuis deux ans, des fonctions de chroniqueur parlementaire au *Canadien*. Son rôle consiste maintenant à publier annuellement, à partir de ses notes sténographiées, un résumé des interventions des députés à l'Assemblée législative. Desjardins accomplira ce travail pendant onze ans. Sa tâche lui permettra de suivre l'évolution économique et sociale du Québec et de connaître à fond les rouages de l'administration publique.

Une enfance dans la pauvreté

« Pour vous montrer dans quelle simplicité et, j'oserais dire même, dans quelle pauvreté M. Desjardins fut élevé, je vous citerai un trait que lui-même me rapportait.

« J'étais tout jeune, me dit-il, ma mère était partie le matin pour aller travailler dans une famille. Nous avions mangé bien peu le matin. Le midi, les enfants, seuls à la maison, ne dînèrent pas. Le soir, lorsque ma mère revint, elle me donna 5 ¢ pour aller acheter un pain. Je me rendis chez M. Buchanan, l'épicier du coin, et lui demandai un pain. Lorsque l'épicier me remit le pain, je lui tendis mon 5 ¢, et lui de me dire : Ce n'est pas 5 ¢, c'est 8 ¢. Je me mis à pleurer. Il me demanda ce que j'avais, et je lui racontai que le matin nous n'avions pratiquement pas mangé, que le midi nous n'avions rien eu, que ma mère venait de me donner 5 ¢ pour acheter un pain et que, si je n'emportais pas le pain nous nous coucherions sans manger. Monsieur Buchanan me donna alors du pain, et il ajouta du beurre, du sucre et d'autres vivres. »

Vous voyez que M. Desjardins n'a pas été élevé dans les largesses et encore moins dans toutes les douceurs. » C. Vaillancourt, « M. Alphonse Desjardins », *La Revue Desjardins*, IX (novembre 1943), p. 162.

Une classe d'écoliers du Collège de Lévis en 1867. Desjardins fréquente cette institution de 1864 à 1870. Archives du Collège de Lévis.

3. Les Féniens, militants de la cause irlandaise, harcelaient l'Angleterre partout où elle avait des possessions.

Intérieur de la Maison Alphonse-Desjardins, restauré au début de l'an 2000.
Photo : Ghislain DesRosiers.

Honoré Mercier, premier ministre du Québec de 1887 à 1891.
Archives nationales du Québec, P1000, S4, PM79-2.

Toujours en 1879, il épouse Dorimène Desjardins avec qui il aura dix enfants, nés entre 1880 et 1902. Le couple s'installera vers 1883 dans une très belle maison de style victorien, située à deux pas de l'église Notre-Dame-de-la-Victoire.

En conflit avec le premier ministre

Mais voilà qu'en 1889 le gouvernement libéral d'Honoré Mercier met fin à la subvention de quelque 4000 $ qui permettait à Desjardins de publier les débats. Personne ne croit aux raisons d'économie invoquées pour justifier cette décision, d'autant plus que le gouvernement s'empresse, après le départ de Desjardins, de confier la tâche à un libéral. Il se peut qu'une mésentente entre Desjardins et le premier ministre, sur la nature exacte des propos tenus lors d'un débat à l'assemblée, soit à l'origine de toute cette affaire. C'est du moins ce que croit Robert Rumilly, sans toutefois révéler ses sources.

Il est également possible que son frère soit en cause. Député conservateur de Montmorency depuis 1881, Louis-Georges Desjardins s'adonnait parfois à des critiques sévères de l'administration Mercier. En mars 1889, le trésorier de la province, Joseph Shehyn, avait longuement répliqué à ses attaques. Chose certaine, pour Alphonse Desjardins, il ne fait pas de doute que les raisons d'économie servaient d'écran à d'autres motifs.

Pour relancer sa carrière, Desjardins tente le tout pour le tout et il fonde à Lévis son propre journal, dont le premier numéro paraît le 9 juillet 1891. *L'Union canadienne* se veut l'organe du Parti conservateur à Lévis. Comme son nom l'indique, le journal est tourné résolument vers la défense de l'unité canadienne. Desjardins, qui rédige à lui seul presque tout le contenu du journal, y combat les tendances autonomistes du gouvernement de Mercier dans lesquelles il voit la menace d'un effritement du pacte constitutionnel canadien. Il s'oppose aussi aux partisans de la réciprocité commerciale entre le Canada et les États-Unis, craignant que celle-ci ne mène à une annexion. Le scandale de la baie des Chaleurs, dans lequel est compromis le gouvernement d'Honoré Mercier, lui donne l'occasion rêvée de régler ses comptes avec le premier ministre.

Mais *L'Union canadienne* ne vivra que trois mois. Des raisons de santé forcent Desjardins à en abandonner la publication le 10 octobre 1891.

Les services rendus au Parti conservateur et son expérience de rapporteur des débats permettront à Desjardins d'obtenir, quelques mois plus tard, le poste vacant de sténographe français de la Chambre des communes. Il y restera pendant 25 ans, de 1892 à 1917. Ayant choisi de garder sa résidence à Lévis, il séjournera donc 6 mois par année à Ottawa, à plus de 450 kilomètres des siens.

Un penchant pour les questions sociales

Peu à peu, Desjardins s'engage dans la voie qui va le mener à la fondation des caisses populaires. Comme les sessions ne durent que quelques mois par année et que la majorité des interventions à la Chambre des communes se font en anglais, Desjardins dispose de temps libre qu'il consacre à l'une de ses grandes passions : la lecture. La bibliothèque du parlement, qu'il fréquente assidûment, lui donne d'ailleurs accès à une riche collection de livres et de

Bibliothèque du parlement d'Ottawa où Desjardins fait des recherches qui le conduiront à la découverte de la coopération d'épargne et de crédit.

Vue du parlement canadien à Ottawa où Desjardins travaille pendant 25 ans.

périodiques. Déjà, à cette époque, ses lectures révèlent un net penchant pour les questions sociales et tout ce qui touche à l'amélioration des conditions de vie des classes populaires. Loin d'agir en dilettante, Desjardins se livre à des enquêtes systématiques sur les sujets qui l'intéressent; il lit tout ce qui lui tombe sous la main et note soigneusement, dans des cahiers, les passages qu'il veut garder en mémoire.

En 1893, il compile ainsi des *Notes pour servir à une étude sur l'assurance-vie* qui font près d'une centaine de pages. Ces notes révèlent un intérêt très prononcé pour les problèmes d'insécurité financière qu'éprouvent les familles à revenu modeste et pour les solutions qu'offrent les sociétés d'entraide mutuelle. Il faut dire que Desjardins est entouré d'adeptes de la mutualité, à commencer par son frère François-Xavier, propagandiste de l'Union Saint-Joseph d'Ottawa, une société de secours mutuels. À Lévis, ses concitoyens ont mis sur pied quelques sociétés semblables, dont une succursale de la Société des artisans canadiens-français, ouverte en 1889, et la Société de construction permanente de Lévis, qui existe depuis 1869. De 1892 à 1895, Desjardins compte d'ailleurs parmi les administrateurs de cette société dont la fonction est d'inciter ses membres à épargner en vue de les faire bénéficier de prêts hypothécaires.

Une odeur de scandale

Le 6 avril 1897 survient à la Chambre des communes un événement qui provoque un tournant décisif dans la vie de Desjardins. Ce jour-là, le député conservateur de Montréal–Sainte-Anne, Michael Quinn, présente un projet de loi contre les pratiques usuraires. Quinn cite en exemple le cas d'un Montréalais condamné par un tribunal à payer des frais d'intérêts de 5 000 $ sur un emprunt initial de 150 $. Témoin de ces révélations troublantes, Desjardins prend conscience plus que jamais des lacunes dans l'organisation du crédit. Les banques traitent surtout avec les milieux d'affaires et ne s'intéressent pas à la clientèle des gens ordinaires. En outre, leur réseau de succursales est encore très peu étendu en dehors des villes. Pour satisfaire leurs besoins de crédit, les petits emprunteurs doivent se tourner vers des prêteurs qui n'hésitent pas à les exploiter en exigeant des taux d'intérêt démesurément élevés. Comment remédier à une telle situation ? C'est cette interrogation qui le mène à la découverte, peu de temps après, d'un livre intitulé *People's Banks* qui présente un bilan des expériences européennes en matière de crédit populaire.

Hermann Schulze-Delitzsch (1808-1885). CCPEDQ.

Friedrich Wilhelm Raiffeisen (1818-1888). CCPEDQ.

Luigi Luzzatti (1841-1927), économiste et homme d'État italien. CCPEDQ.

Mon cher Wolff...

Fasciné par les résultats obtenus par les coopératives de crédit européennes, Desjardins se prend à songer à la possibilité d'en établir de semblables au Canada. Le 12 mai 1898, il adresse une lettre à l'auteur de cet ouvrage, l'Anglais Henry William Wolff, dans le but d'obtenir des renseignements additionnels. À titre de président de l'Alliance coopérative internationale, association fondée à Londres en 1895, Wolff connaît personnellement la plupart des dirigeants des banques populaires et des caisses rurales européennes ; il s'empresse d'en donner les adresses au néophyte canadien.

Desjardins ouvre alors une véritable enquête internationale, laquelle lui permettra de découvrir tous les rouages des coopératives de crédit. En 1898, 1899 et 1900, il entre en communication avec des coopérateurs français, belges, suisses et italiens pour connaître en détail le mode d'organisation et les résultats des entreprises coopératives qu'ils dirigent. Plusieurs d'entre eux lui font parvenir des statuts et

La maison d'Alphonse et de Dorimène Desjardins, construite entre 1882 et 1884, a été le siège social de la Caisse populaire de Lévis de 1900 à 1906. Elle est aujourd'hui un centre d'interprétation de la vie et de l'œuvre du fondateur des caisses populaires. Photo : François Boucher. CCPEDQ.

règlements, des rapports annuels, des actes de congrès, des ouvrages, des brochures ou des exemplaires de revues.

Pendant plusieurs mois, Desjardins compare et évalue les mérites de l'organisation des modèles existants : celui des banques populaires, créé en Allemagne par Hermann Schulze-Delitzsch ; celui des caisses rurales, également d'origine allemande, conçu par Friedrich Wilhelm Raiffeisen ; et celui des banques populaires italiennes proposé par Luigi Luzzatti. Tenant compte du contexte québécois et des objectifs qu'il se propose d'atteindre en matière d'épargne et de crédit, Desjardins n'hésite pas à concevoir à son tour un modèle original, inspiré par l'expérience européenne mais sans réel équivalent en Europe.

Dans ce travail de longue haleine, Desjardins sait mettre à profit les ressources que lui offre son milieu. Un prêtre du Collège de Lévis, l'abbé Joseph Hallé, se charge de lui traduire en français des lettres et des publications écrites en allemand ou en italien. À maintes reprises, Desjardins sollicite les conseils de dirigeants des sociétés mutuelles lévisiennes avec lesquels il discute des différents aspects de son projet. C'est d'ailleurs vers eux qu'il se tourne lorsque vient le temps de mettre sur papier les règlements qui régiront l'organisation et le fonctionnement de la première coopérative d'épargne et de crédit en Amérique.

Une idée qui prend forme

Le 20 septembre 1900, Desjardins réunit chez lui un petit groupe de concitoyens en vue de former un comité qui l'aidera à rédiger les statuts et règlements de la future coopérative d'épargne et de crédit. La plupart des neuf personnes présentes à la réunion sont membres de sociétés mutuelles, comme la Société des artisans canadiens-français ou la Société de construction permanente de Lévis. Il est alors décidé de former un « comité d'étude et d'initiative » qui comprendra Alphonse Desjardins, Théophile Carrier, Xavier Marceau, Joseph Delisle, Eugène Roy, Édouard Labadie et Albert G. Lambert. Le 22 novembre, au terme de 14 réunions, les règlements définitifs de ce qui deviendra « la Caisse populaire de Lévis » sont adoptés par le comité. Deux semaines plus tard, le jeudi 6 décembre, plus d'une centaine de personnes réunies dans le local de la Société des artisans canadiens-français, rue Eden (aujourd'hui l'avenue Bégin), décident à l'unanimité de créer la Caisse populaire de Lévis.

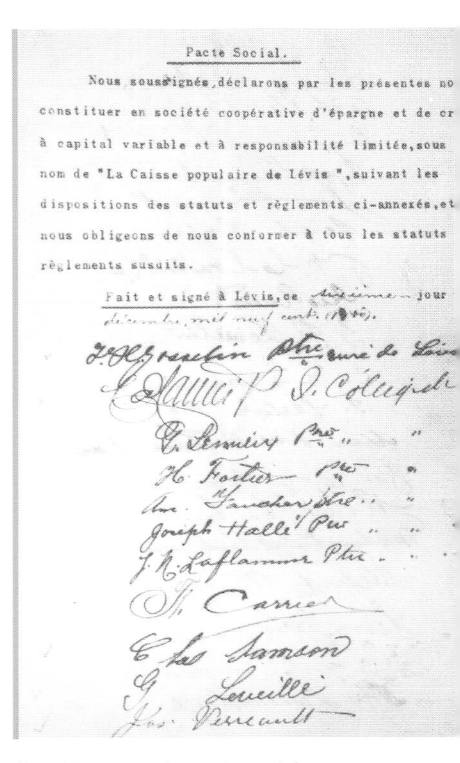

Pacte Social.

Nous soussignés, déclarons par les présentes no
constituer en société coopérative d'épargne et de cr
à capital variable et à responsabilité limitée, sous
nom de "La Caisse populaire de Lévis ", suivant les
dispositions des statuts et règlements ci-annexés, et
nous obligeons de nous conformer à tous les statuts
règlements susdits.

Fait et signé à Lévis, ce sixième jour
décembre, mil neuf cent. (1900).

Première page du pacte social signé par les fondateurs de la Caisse populaire de Lévis. Société historique Alphonse-Desjardins.

C'est en décembre 1844, à Rochdale, en Angleterre, que 28 tisserands fondent la première coopérative. On aperçoit, à gauche, l'édifice où ils installèrent leur premier magasin, Johnston Birchall, *Co-op: the peoples's business.* Manchester University Press, 1994.

Cet événement, qui connaîtra plus tard un énorme retentissement, passe à peu près inaperçu. En ce jeudi 6 décembre, l'attention de l'opinion publique est accaparée par l'annonce d'un accord provisoire entre patrons et ouvriers des industries de chaussures de Québec, paralysées par une grève qui dure depuis plusieurs semaines et, surtout, par les élections provinciales, qui seront tenues le lendemain et qui reporteront les libéraux au pouvoir.

Sans constituer un reflet fidèle de la société lévisienne, les 128 membres fondateurs de la Caisse populaire de Lévis représentent un large spectre d'occupations et de statuts sociaux. On trouve parmi eux des professionnels, des prêtres du Collège de Lévis, des entrepreneurs, des marchands, des employés de commerce, des employés de chemins de fer, des gens de métiers, des cultivateurs, quelques ouvriers d'usine, des enfants mineurs. Les femmes majeures, au nombre de 17, et les ouvriers d'usine, qui ne dépassent pas la quinzaine, sont les deux groupes les moins bien représentés. Suivant les prescriptions du Code civil qui assimile le statut de la femme mariée à celui d'un enfant mineur, celle-ci doit se contenter d'un statut de sociétaire auxiliaire propre à freiner son enthousiasme. Quant aux ouvriers, la difficulté qu'ils éprouvent à épargner explique sans doute que plusieurs se sentent peu concernés.

« Un homme, un vote »

La caisse populaire est une coopérative d'épargne et de crédit. Comme toute coopérative, elle est à la fois une association de personnes et une entreprise. Ses membres s'associent pour mettre en commun leurs épargnes et former un réservoir de crédit auquel ils pourront recourir en cas de besoin. À la fois propriétaires et usagers, ils l'administrent sur une base démocratique selon la règle « un homme, un vote », peu importe le nombre de parts sociales de chacun.

Pour devenir membre de la caisse populaire, on doit souscrire une part sociale de 5 $, une somme assez élevée à l'époque, si l'on considère qu'un ouvrier gagne 1 $ ou 1,25 $ par jour. La part sociale peut toutefois être acquittée par versements hebdomadaires de 0,10 $, de telle sorte, nous dit Alphonse Desjardins, « que même l'ouvrier le plus humble ne peut arguer de son dénuement pour refuser de souscrire et de devenir sociétaire[4] ». Le règlement stipule, de plus, qu'il faut avoir la réputation d'être « bon payeur », « bon travailleur » et « d'une scrupuleuse honnêteté ».

Contrairement aux banques populaires et aux caisses rurales allemandes, la caisse populaire est une société à responsabilité limitée, ce qui signifie que les membres « ne sont responsables

4. « Rapport de M. Alphonse Desjardins », L'alliance coopérative internationale, *Cinquième congrès, Compte rendu officiel, 1902.*

des engagements de la société que jusqu'à concurrence du montant de leurs parts sociales». Desjardins a préféré suivre l'exemple des banques populaires italiennes, plus libérales à cet égard que celles d'Allemagne. Il est même allé un cran plus loin dans la libéralisation du système en permettant aux membres de se retirer en tout temps et d'obtenir le remboursement de leurs parts sociales. Par contre, tout a été prévu pour assurer la sécurité des opérations et protéger les épargnes confiées à la caisse. Celle-ci ne fait affaire qu'avec ses membres, à l'intérieur d'un territoire limité qui ne dépasse pas la ville de Lévis et ses environs. Un fonds de réserve et un fonds de prévoyance, alimentés par une taxe d'entrée sur les parts sociales et par un pourcentage des bénéfices nets, servent à garantir les dépôts. De plus, les prêts ne sont consentis qu'à des personnes de confiance dont la valeur morale est reconnue.

La fonction essentielle de la caisse est d'organiser le crédit populaire sur la base de l'épargne populaire. Tout en donnant accès au crédit, elle vise d'abord et avant tout à créer chez ses membres des habitudes d'épargne et de prévoyance. D'ailleurs, la caisse ne prête qu'à des fins productives et avantageuses, susceptibles d'aider l'emprunteur à améliorer sa condition. Tout crédit à la consommation destiné à l'achat de biens qui ne sont pas essentiels est banni. «Jamais, au grand jamais, écrivait Desjardins, une caisse populaire ne doit prêter pour une dépense improductive, c'est-à-dire une extravagance, une dépense inutile ou un but frivole, comme une promenade, une excursion ou une noce tapageuse[5].»

Dans l'esprit du fondateur, une caisse est d'abord une école où le membre apprend à épargner. Porteuse d'un idéal d'émancipation économique, elle propose aux Canadiens français une vision d'avenir où ils seront partie prenante de la vie économique et affranchis de leur état de dépendance.

LE PREMIER 10¢

La Caisse populaire de Lévis entre en activité le 23 janvier 1901. Une douzaine de sociétaires viennent y déposer de petits montants pour acquitter partiellement leurs parts sociales. Le premier dépôt, un modeste 10 sous, est apporté par l'avocat Eugène-J. Roy. À la fin de la journée, les montants reçus ne dépassent pas 26,40$. Mais la caisse ne tarde pas à prendre son envol. Le 30 novembre 1901, à la fin de l'année sociale, elle compte déjà 721 sociétaires qui ont souscrit près de 2000 parts sociales.

Malgré tout le travail accompli par Desjardins et son épouse Dorimène, pareil résultat n'aurait jamais été atteint en si peu de temps sans l'appui du clergé et des mutualistes lévisiens. Le 30 décembre 1900, durant la célébration dominicale, le curé de Lévis, visiblement inspiré, salue la naissance toute récente de la caisse populaire: «Ce sera la gloire de Lévis, déclare-t-il, d'avoir créé la première banque populaire sur ce continent et je lui souhaite le succès et la très grande prospérité dont jouissent ses sœurs, les institutions similaires d'Europe[6]». Pour leur part, les prêtres du Collège de Lévis, qui étaient nombreux à avoir participé à l'assemblée de fondation, s'empressent de faire des

François-Xavier Gosselin, curé de Lévis et ami personnel de Desjardins, soutient activement la Caisse populaire de Lévis. Huile sur toile. Collection du Musée du Collège de Lévis, nº 127.

5. Alphonse Desjardins, *La Caisse Populaire I* (publication mensuelle Nº 7), Montréal, L'École sociale populaire, 1912, p. 28.
6. Cité dans Yves Roby, *Alphonse Desjardins et les caisses populaires, 1854-1920*, Montréal, Fides, 1964, p. 64.

Immeuble de la Société des artisans canadiens-français où eut lieu l'assemblée de fondation de la Caisse populaire de Lévis. Il abrita le siège social de la caisse de 1906 à 1916.
Société historique Alphonse-Desjardins.

dépôts. Nul besoin pour eux de se rendre à la caisse. Le procureur du collège, l'abbé Stanislas-Irénée Lecours, s'occupe de la perception de leurs épargnes qu'il achemine à la caisse en même temps que le dépôt du collège. La caisse profite aussi de l'hospitalité de la Société des artisans canadiens-français, qui lui prête gratuitement son local de la rue Eden les lundi, mercredi et samedi soirs. La compétence de ses dirigeants bénévoles, dont plusieurs occupent des sièges d'administrateurs au sein de sociétés mutuelles, a tout pour inspirer la confiance des membres. La présence, à la commission de crédit, d'un homme aussi expérimenté que Théophile Carrier, comptable et secrétaire-trésorier de la Société de construction permanente, est particulièrement rassurante.

Rationnel, méticuleux et tenace

Par-dessus tout, les Lévisiens savent qu'ils peuvent faire confiance à Alphonse Desjardins. Par ses expériences professionnelles, ses recherches et ses lectures, il a acquis une foule de connaissances sur la vie économique et sociale tant en Amérique qu'en Europe. Il est bien au fait des grandes tendances de son époque. Sa correspondance avec des coopérateurs européens a fait de lui un véritable expert en coopération. Esprit rationnel, il ne s'attache qu'aux faits connus et validés par l'expérience. Il sait de quoi il parle ! Ceux qui le côtoient le décrivent comme un travailleur acharné, un être méticuleux, d'une ténacité exceptionnelle et d'une fidélité indéfectible à ses engagements.

Taillé pour vivre cent ans

« Ceux qui l'ont connu se rappellent cette stature imposante qui donnait l'impression d'une force bien au-dessus de la moyenne. Cet homme semblait taillé pour vivre cent ans. » – Élias Roy (conférence sur Alphonse Desjardins prononcée le 9 novembre 1954), dans *La Revue Desjardins*, xxi, 1, janvier 1955, p. 7-11.

Desjardins n'a pourtant rien du leader charismatique. C'est même un personnage à l'aspect « un peu austère », « sans éclat extérieur », nous dit son ami, le journaliste Omer Héroux[7]. Fervent catholique, il se réserve, chaque jour, un peu de temps pour la prière et sa dévotion au Sacré-Cœur. Il accorde à sa vie familiale une grande importance. Souvent absent de la maison, il adresse à sa femme et à ses enfants des lettres remplies d'affection. Tout le monde sait qu'il n'a qu'une idée en tête : celle de mener la Caisse populaire de Lévis à la réussite et d'en faire le fer de lance d'un vaste mouvement coopératif. Certains le regardent comme un toqué ; d'autres voient plutôt en lui un visionnaire.

Lévis vers 1912.
CCPEDQ.

7. Omer Héroux, « En marge du cinquantenaire des Caisses populaires Desjardins », *La Revue Desjardins*, 16, 5 (1950), p. 84.

Dans toute organisation
coopérative, pour réussir,
il faut commencer petit
et grandir…

Cyrille Vaillancourt

Gérant de la Fédération
de Québec des caisses
populaires Desjardins
(Confédération) de
1932 à 1969.

CHAPITRE 2

En quête d'une reconnaissance

Desjardins ne peut cependant envisager de mener plus loin son expérience sans une reconnaissance juridique. Pour étendre l'activité de la Caisse populaire de Lévis et pour établir d'autres caisses, il est nécessaire d'obtenir une loi définissant les règles d'organisation, les droits et les obligations de ce genre d'entreprises. Convaincu que cette reconnaissance juridique relève de la compétence du gouvernement fédéral et désireux de répandre les caisses dans tout le Canada, Desjardins souhaite qu'une telle loi soit votée par le Parlement canadien, mais son vœu ne se réalisera jamais. Les dispositions de la constitution canadienne et l'opposition de l'Association des marchands détaillants, l'empêcheront d'atteindre son but. Il devra donc, bien malgré lui, se tourner vers le gouvernement québécois.

Dès lors, le défi de Desjardins ne sera pas seulement de faire connaître au législateur les avantages de la coopération d'épargne et de crédit, mais de lui démontrer que la caisse populaire est le type de coopérative qui convient le mieux aux besoins de la population.

La loi de 1902

Au début du siècle, Desjardins n'est pas seul au Québec à s'intéresser à la question du crédit populaire. Des promoteurs de l'agriculture rattachés à des organismes comme la Société d'industrie laitière et le Syndicat des agriculteurs recherchent depuis plusieurs années une solution au problème du crédit agricole. Plusieurs d'entre eux connaissent d'ailleurs l'existence des caisses rurales Raiffeisen et souhaitent leur établissement au Québec. En 1898, une caisse rurale a même été mise sur pied à Notre-Dame-des-Anges dans le comté de Portneuf, mais cette expérience ne semble pas avoir duré plus de trois ans[1].

Desjardins a aussi été devancé à l'Assemblée législative. En janvier 1900, soit presque un an avant la fondation de la Caisse populaire de Lévis, le député conservateur de Wolfe, Jérôme-Adolphe Chicoyne, dépose un projet de loi autorisant la formation de caisses rurales Raiffeisen[2]. Remanié à deux reprises, le projet est finalement adopté le 12 mars 1902, sous le nom de Loi des syndicats agricoles. Cette nouvelle loi autorise la

1. Gaston Deschênes, « La Caisse rurale de Notre-Dame des Anges », *La Revue Desjardins*, 50, 4 (1985), p. 30-31.
2. Gaston Deschênes, « Jérôme-Adolphe Chicoyne et les origines des caisses d'épargne et de crédit au Québec », *La Revue Desjardins*, 49, 6 (1983), p. 30-34.

formation de sociétés coopératives de consommation, de production et de crédit dont les règles d'organisation s'apparentent en partie à celles des caisses allemandes Raiffeisen.

Le refus de Laurier

Peu de temps après l'adoption de cette loi qu'il juge insatisfaisante, Desjardins décide de tenter sa chance au Parlement canadien. Il peut déjà compter sur l'appui de quelques hommes politiques qui observent avec beaucoup d'intérêt l'évolution de la Caisse populaire de Lévis, dont le leader de l'aile québécoise du Parti conservateur, Frederick Monk, Henri Bourassa et, du côté ministériel, Rodolphe Lemieux et le solliciteur général Henry George Caroll. Toutefois, les premières démarches auprès du ministre des Finances, William Stevens Fielding, ne sont pas de bon augure. Le ministre nie en effet la compétence du gouvernement fédéral. Compte tenu qu'une caisse populaire ne fait pas, à proprement parler, des affaires bancaires et qu'elle est une organisation à caractère local, il estime qu'elle relève par le fait même des provinces.

Grâce à ses relations au sein du gouvernement, Desjardins réussit à obtenir une entrevue avec le premier ministre Wilfrid Laurier, le 24 juillet 1904. Les espoirs qu'il entretient à la suite de cette rencontre sont éphémères, et il en vient vite à la conclusion qu'il n'obtiendra rien sans exercer de fortes pressions sur le gouvernement. Auprès du premier ministre, Alphonse Desjardins est sans doute desservi par son passé de militant conservateur, par ses liens trop étroits avec Frederick Monk et par les écrits de son frère Louis-Georges qui signait en 1877 une brochure dont le titre était pour le moins compromettant : *Laurier devant l'histoire. Les erreurs de son discours et les véritables principes du Parti conservateur.*

Sir Wilfrid Laurier, premier Canadien français à exercer les fonctions de premier ministre du Canada de 1896 à 1911. Archives nationales du Québec, P1000, S4, PL62-3.

À la fin de 1904, Desjardins met sur pied une association appelée l'Action populaire économique (APE) dont l'un des principaux buts sera de le seconder dans ses démarches auprès du gouvernement. La liste des personnalités qu'il réussit à enrôler au sein de cette association démontre la notoriété que lui procure le succès de la Caisse populaire de Lévis. On y remarque les noms de l'archevêque de Québec, Mgr Louis-Nazaire Bégin, d'un ancien premier ministre du Québec, Edmund James Flynn, du ministre de l'Agriculture Adélard Turgeon et de plusieurs autres hommes politiques dont la majorité sont, comme il se doit dans les circonstances, d'allégeance libérale. Fait tout aussi important, la liste comprend des promoteurs de l'agriculture qui, deux ans plus tôt, militaient en faveur de l'établissement des caisses Raiffeisen, tel le conseiller législatif Némèse Garneau, membre du conseil d'administration de la Société d'industrie laitière et ancien député libéral, qui a accepté d'assumer la présidence de l'association.

Lomer Gouin, premier ministre du Québec de 1905 à 1920, défendra à maintes reprises la cause des caisses populaires à l'Assemblée législative. ANQ-Québec, Collection initiale.

Louis-Nazaire Bégin, archevêque de Québec, exhorte Alphonse et Dorimène Desjardins à persévérer dans l'adversité. ANQ-Québec, Collection initiale.

Le 25 janvier 1905, l'APE s'adresse au premier ministre pour lui demander l'adoption d'une loi sur les caisses populaires. Même si elle porte la signature d'une importante brochette de personnalités, la requête n'en est pas moins accueillie froidement par Wilfrid Laurier, qui ne manifeste aucune bonne volonté tout en restant vague sur ses motifs. Dans ces circonstances, Alphonse Desjardins n'a d'autre choix que de suspendre ses démarches auprès d'Ottawa et de se tourner vers le gouvernement provincial. Réaction de dépit du fondateur des caisses qui écrit à Mgr Bégin, le 9 février : « Je ne savais pas encore qu'il fut si difficile de faire un peu de bien sans causer de tort à personne[3] ».

Enfin une loi !

Dès le mois de mars 1905, Desjardins soumet au procureur de la province un projet de loi qu'il a préparé avec la collaboration de l'avocat lévisien Eusèbe Belleau. Le premier ministre Lomer Gouin se montre sympathique à la cause de son ancien confrère de classe du Collège de Lévis. Mais, malheureusement, la session se terminera sans que le gouvernement n'ait eu le temps de compléter la révision du texte de loi et de le soumettre au verdict de l'Assemblée législative. Cela signifie une autre année d'attente puisque les travaux parlementaires ne reprendront qu'en janvier 1906. Une autre année à attendre un résultat incertain.

Alphonse Desjardins qui avait manifestement misé sur une plus grande célérité encaisse très mal ce nouveau coup du sort. Ses proches le sentent à bout de patience et tentent de l'encourager. Plus le temps passe, plus la responsabilité financière qui pèse sur les épaules du couple Desjardins devient lourde. L'actif de la Caisse populaire de Lévis dépasse maintenant 40 000 $. Que leur arriverait-il si la caisse subissait un revers financier ? Dorimène Desjardins ne cache pas son inquiétude, elle qui, depuis 1903, s'occupe de la gérance de la caisse pendant les longs séjours de son mari à Ottawa. Elle non plus ne sait plus très bien si elle a encore le courage de continuer et d'exposer sa famille à des risques toujours plus grands. Dans un tête-à-tête à l'archevêché de Québec, Mgr Bégin s'occupera de raviver leur courage et leur détermination.

Heureusement, tout s'arrange en 1906. Le 28 février, Lomer Gouin dépose à l'Assemblée le projet de loi qui franchit sans difficulté toutes les étapes du processus législatif. Adoptée à l'unanimité le 5 mars, la Loi concernant les syndicats coopératifs reçoit la sanction royale le 9 mars. Les caisses populaires jouiront désormais de la reconnaissance juridique. Pour Desjardins, cela signifie que « l'œuvre pourra prendre son essor [...] s'affirmer et ne plus vivre dans l'ombre, comme craignant de se manifester à elle-même sa propre existence[4] ».

Les Communes disent oui...

Desjardins ne renonce pas pour autant à une loi du gouvernement fédéral. Aussi, dès le 23 avril 1906, son ami Frederick Monk dépose aux Communes un projet de loi. Pour justifier son geste, Monk ne manque pas de souligner les lacunes de la loi provinciale, affirmant que « les

3. Archives de l'Archevêché de Québec, Alphonse Desjardins à Mgr Louis-Nazaire Bégin, 9 février 1905.

4. Archives de la Confédération des caisses populaires et d'économie Desjardins du Québec (CCPEDQ), Alphonse Desjardins à Louis-Amable Jetté, 1er décembre 1905.

Le découragement de Dorimène Desjardins

« Pendant qu'il était à Ottawa, à son travail, des gens s'en vont trouver madame Desjardins et lui disent que son mari se met dans une mauvaise affaire, qu'il n'a pas d'expérience ; un de ces jours, il fera des mauvais placements ; ils reviendront contre vous, et vos enfants seront dans le chemin. Madame Desjardins, ne pensant qu'à ses enfants, eut un moment de crainte ; elle s'en va trouver son mari et lui raconte toute l'affaire. Retourne à Québec, lui dit M. Desjardins ; quand je serai de retour, nous irons voir le cardinal Bégin, homme au jugement éclairé ; nous irons le consulter. Chose qui fut faite, et après avoir reçu toutes les explications demandées, le cardinal Bégin leur dit : « Mettez-vous à genoux, je vais vous bénir », et s'adressant à M. Desjardins : « Tu te relèveras lorsque tu m'auras promis de continuer ton œuvre. » – Relaté par Cyrille Vaillancourt dans, « L'Union régionale de Trois-Rivières fête ses noces d'argent », *La Revue Desjardins*, 11, 10 (décembre 1945), p. 194.

autorités provinciales ne sont pas compétentes à autoriser des sociétés coopératives à faire des opérations de banques[5] ». Considérant que la constitution canadienne confère au gouvernement central une autorité exclusive sur les banques, le gouvernement québécois s'est, en effet, abstenu d'accorder explicitement aux caisses populaires le droit de recevoir des dépôts d'épargne.

Les chances de succès sont meilleures que jamais. Nommé ministre du Travail, Rodolphe Lemieux est déterminé à défendre la cause de Desjardins auprès des membres du cabinet. Sans compter que le gouverneur général, Lord Grey, en poste depuis 1904, est président honoraire de l'Alliance coopérative internationale. Henry Wolff lui a parlé de Desjardins, et il se dit prêt à faire « tout ce qu'il pourra, légitimement », pour favoriser la coopération[6].

Habile promoteur, Desjardins ne cesse de gagner de nouveaux appuis. En novembre 1906, il réussit même à convaincre le conseil d'administration de la Chambre de commerce du district de Montréal à voter une résolution en faveur du projet de loi. De son côté, Monk obtient d'un banquier montréalais l'assurance que l'Association des banquiers canadiens ne s'opposera pas au projet de loi, compte tenu qu'il oblige les caisses à faire affaire exclusivement avec leurs membres.

Le projet de loi déposé en avril 1906 fait son chemin à la Chambre des communes. Le 5 décembre, il est renvoyé pour étude à un comité spécial présidé par Rodolphe Lemieux qui entendra les avis de plusieurs personnes intéressées, dont le gouverneur général. S'étant rendu à Lévis, le 5 mars 1907, pour y visiter la caisse populaire et examiner attentivement ses résultats, Lord Grey recommande sans aucune hésitation l'adoption d'une loi : « Le plus tôt une telle loi sera votée, le mieux ce sera[7] ». En revanche, de vives objections sont soulevées par les représentants de l'Association des marchands détaillants qui craignent la concurrence des coopératives de consommation et qui prétendent même voir dans le projet des tendances socialistes. Mais leurs arguments ne retiennent guère l'attention des membres du

Dorimène Desjardins, née Desjardins (1858-1932), gère la Caisse populaire de Lévis de 1903 à 1905. Huile sur toile. Jonas-N. Tomesco.

5. Canada, *Débats de la Chambre des communes*, 23 avril 1906.
6. Archives de la CCPEDQ, Henry W. Wolff à Alphonse Desjardins, 22 octobre 1904.
7. *Rapports du Comité spécial de la Chambre des communes auquel a été renvoyé le projet de loi n° 2 concernant les sociétés coopératives et industrielles [...]*. Ottawa, Imprimeur de sa très excellente Majesté le Roi, 1907.

Albert Henry George Grey, 4th Earl, gouverneur général du Canada, s'est fait membre de la Caisse populaire de Lévis en 1907.
ANQ-Québec, Collection initiale.

Affiche de propagande durant la Première Guerre mondiale. Anonyme, c1915, The Mortimer Co, Ltd., Ottawa, Montréal. Archives nationales du Canada, C 95378.

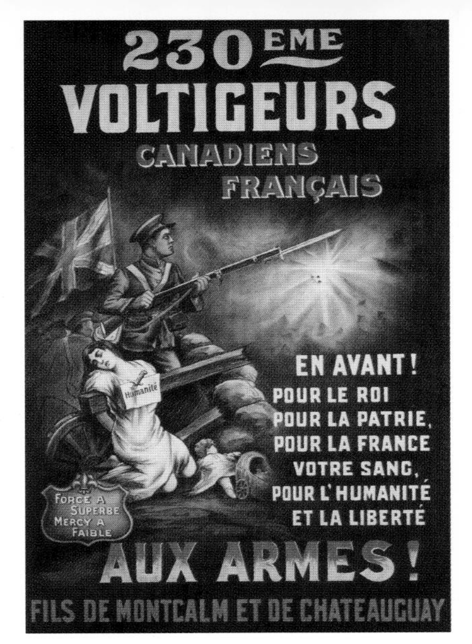

comité qui, le 11 avril 1907, recommandent « que le gouvernement se charge de la mesure et la fasse adopter[8] ».

... le Sénat dit non

Moins d'un an plus tard, le 6 mars 1908, le projet de « loi concernant la coopération » est adopté à l'unanimité par la Chambre des communes. Mais la victoire de Desjardins n'aura été que de courte durée. Le 15 juillet, à la suite de la recommandation formulée par son comité des banques et du commerce, le Sénat refuse, par un vote très serré de 19 voix contre 18, de sanctionner la loi. Officiellement, c'est le souci de ne pas empiéter sur la compétence des provinces qui aurait motivé les opposants. Mais la lecture des débats du Sénat indique clairement que certains sénateurs étaient surtout sensibles à la cause de l'Association des marchands détaillants qui avait redoublé d'ardeur pour défendre ses intérêts.

Cet échec ne met pourtant pas fin aux démarches de Monk et de Desjardins ; ensemble, ils continuent de faire valoir qu'en matière de coopération d'épargne et de crédit l'autorité des provinces est déficiente et que seul le gouvernement fédéral a les pouvoirs requis. Cependant, ni les tentatives de Monk en 1909 et 1910 ni celles d'Arthur Meighen, qui prend le relais en 1913 et 1914, n'auront de succès. L'opposition des marchands détaillants, l'indifférence des hommes politiques, les tensions internationales puis l'éclatement de la guerre les empêcheront d'obtenir le concours de la Chambre des communes.

De guerre lasse, après dix ans d'efforts, Desjardins finira par abandonner. Il gardera de cette expérience un goût amer et le sentiment d'avoir été victime d'une injustice. Dans une lettre datée de 1911, il ne cache pas sa déception à l'égard des hommes politiques : « Faut-il s'étonner que nos législateurs soient si peu sociaux ? Ne sont-ils pas les élus et le choix de ces exploiteurs ? Saturés de l'individualisme, exposés aux représailles des profiteurs de tous genres, ils n'osent pas toucher au régime qui favorise ces exploiteurs et toute tentative d'atténuer les maux du peuple les effraye[9] ».

S'il empêche Desjardins d'agir librement sur tout le territoire canadien, cet échec est sans conséquences sur ses projets au Québec. Et, bien que Desjardins ne soit pas satisfait de la portée de la Loi concernant les syndicats coopératifs, celle-ci ne lui offre pas moins la reconnaissance juridique dont il avait besoin pour se lancer dans l'établissement du réseau des caisses populaires.

Une épicerie, avenue Laurier, à Montréal, au début du siècle. Musée McCord, Fonds Notman, MP072 / 84.

8. *Ibid.*, p. v.
9. Alphonse Desjardins à Joseph-Papin Archambault, 21 septembre 1917.

(La coopération) ne
prétend pas créer un être
humain nouveau,
une espèce humaine
nouvelle : non, elle se
propose simplement
d'aider chacun des êtres
humains qui existent déjà
à devenir plus libre, plus
fort, plus responsable,
plus solidaire.

Guy Bernier

Président de la Fédération
des caisses populaires
Desjardins de Montréal
et de l'Ouest-du-Québec de
1976 à 1988.

CHAPITRE 3

La naissance d'un mouvement

De 1907 à 1915, Alphonse Desjardins vit les années les plus actives et les plus exaltantes de sa carrière. Appuyé par le clergé et les nationalistes, qui prennent rapidement conscience de la portée sociale et économique de son entreprise, Alphonse Desjardins parcourt le Québec dans tous les sens pour prononcer des conférences et participer à la fondation de caisses populaires dans plus de 130 paroisses. Ses voyages le mènent également en Ontario et même aux États-Unis où, en plus de fonder neuf caisses populaires, il conseille les hommes politiques dans la rédaction de projets de loi destinés à favoriser la création des *credit unions* dont l'organisation s'inspire de l'expérience des caisses populaires.

La caisse, la croix et le drapeau

En raison des obstacles qui ont retardé l'obtention de sa loi et parce qu'il voulait réaliser à Lévis une expérience véritablement concluante, Alphonse Desjardins attend jusqu'à l'automne de 1907 avant d'entreprendre la mise en place de son réseau de caisses populaires. « [...] il nous a fallu, écrit-il, huit longues années d'expérience, de pratique et de résultats répétés, toujours les mêmes et toujours excellents, pour faire taire en nous toute hésitation, toute timidité, toute inquiétude sur l'avenir[1]. » Au cours de cette phase expérimentale, il met tout de même sur pied trois autres caisses dans des localités situées à proximité de Lévis ou d'Ottawa, où il peut assez facilement surveiller les activités. La première voit le jour à Saint-Joseph de Lévis (Lauzon) le 28 juillet 1902, à quelques kilomètres de la caisse de Lévis ; la seconde est créée à Hull, en septembre 1903 et la troisième à Saint-Malo (Québec), le 4 janvier 1905, en plein cœur du comté représenté par Wilfrid Laurier à la Chambre des communes.

Pour aller plus loin dans l'établissement de son réseau de caisses populaires, Desjardins mise sur la collaboration des notables locaux et plus spécialement sur celle des prêtres dont la caution morale est un gage de réussite. À ses yeux, la caisse est une œuvre sociale à laquelle ils ne peuvent rester indifférents. Dans son encyclique *Rerum Novarum* publiée en 1891, le pape Léon XIII n'a-t-il pas invité le clergé à se préoccuper du sort des classes populaires et à travailler activement à l'amélioration de leurs conditions de vie ?

1. Alphonse Desjardins, *La Caisse Populaire II*, Montréal, L'École sociale populaire, 1912, p. 11-12.

Les deux Alphonse Desjardins

Ils ont tous deux été journalistes au début de leurs carrières, avaient les mêmes convictions religieuses et partageaient les mêmes allégeances politiques. L'un a été le fondateur des caisses populaires, l'autre a été président de la Banque Jacques-Cartier de Montréal. L'un et l'autre se nommaient Alphonse Desjardins, et un intervalle de 13 ans seulement séparait leurs dates de naissance. Alphonse Desjardins et Alphonse Desjardins ont maintes fois été confondus par leurs contemporains, et il arrive encore de nos jours qu'on se méprenne à leur sujet. Leurs destins se sont d'ailleurs croisés à quelques reprises. En 1892, par exemple, le comité de la Chambre des communes qui a choisi Alphonse Desjardins comme sténographe français était présidé par l'autre Alphonse Desjardins. (Guy Bélanger et Pierre Poulin, « Alphonse Desjardins : l'un et l'autre », *La Revue Desjardins*, 57, 1 (1991), p. 30-32.)

Le clergé se montre d'ailleurs très réceptif à l'appel de Desjardins. En ce début du XXe siècle, les évêques du Québec se soucient plus que jamais des conséquences sociales de l'industrialisation et de l'urbanisation. Attentif à la misère ouvrière et à la pauvreté des ruraux qui abandonnent leur terre à leurs créanciers, le clergé est à l'affût des moyens qui peuvent contribuer à améliorer leur sort. Ces préoccupations amènent, dans les années 1900 et au début des années 1910, la création d'organisations d'action catholique qui se proposent de lutter contre la pauvreté et de protéger la moralité chrétienne par des campagnes de tempérance, par l'organisation de coopératives et de syndicats catholiques et par la diffusion de journaux catholiques. En agissant de la sorte, le clergé ne cache pas son intention : il cherche à soustraire la population à l'influence des syndicats neutres et à la propagande socialiste, et à préserver du même coup les valeurs religieuses et l'autorité morale de l'Église.

D'abord hésitants, la plupart des évêques accepteront, après avoir constaté les succès de la caisse de Lévis, de se ranger derrière Alphonse Desjardins ; on les voit même inciter leurs curés à favoriser l'établissement d'une caisse dans leur paroisse. Mieux encore, certains évêques iront jusqu'à permettre à Desjardins de s'adresser directement à leurs prêtres, à l'occasion de congrès sacerdotaux ou de retraites fermées.

Karl Marx (1818-1883), philosophe, économiste et théoricien du socialisme allemand.

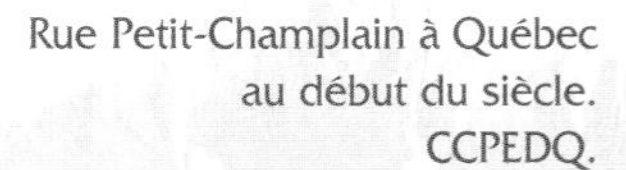

Rue Petit-Champlain à Québec au début du siècle. CCPEDQ.

Le catéchisme des caisses populaires

Partisan enthousiaste, l'archevêque de Québec, Mgr Bégin, donne l'exemple; en 1904, il accepte la présidence d'honneur de l'Action populaire économique. Il fait un pas de plus le 13 janvier 1909 en devenant membre de la Caisse populaire de Lévis. L'année suivante, il signe volontiers la préface d'un petit livre de propagande appelé *Catéchisme des caisses populaires*, rédigé par l'abbé Philibert Grondin. En décembre 1911, il accepte d'être nommé patron de la caisse de Lévis, tout comme il l'avait fait, un an plus tôt, pour la Caisse populaire de Québec-Est.

Philibert Grondin (1879-1950)

L'abbé Philibert Grondin fut le plus grand propagandiste des caisses populaires. À la suite de l'adoption de la Loi des syndicats coopératifs en 1906, Alphonse Desjardins confie à ce jeune militant du mouvement d'action sociale catholique, la tâche de mener une campagne de presse en faveur des caisses populaires. Pour arriver à ses fins, et aussi pour donner l'impression que le mouvement des caisses jouit d'un appui très large, Philibert Grondin se dotera de plusieurs noms de plume : J.-P. Lefranc, A. Lépouvante, D. Jardins, Paul Bréval et Louis Arneau... C'est d'ailleurs sous l'un de ces pseudonymes, J.-P. Lefranc, qu'il publie le *Catéchisme des caisses populaires* en 1910. Philibert Grondin devient rapidement l'homme de confiance d'Alphonse Desjardins qui le nomme, en 1916, président du comité responsable des fondations de caisses populaires.

Philibert Grondin. Société historique Alphonse-Desjardins.

Mgr Bégin n'hésite pas à défendre la cause des caisses populaires auprès du pape pour qu'il adoucisse son décret de 1910 interdisant aux prêtres catholiques d'accepter des responsabilités administratives dans les sociétés coopératives. En 1913, lors d'un séjour à Rome, il obtient même la permission pour le clergé québécois de continuer à participer à l'administration des caisses. Par la même occasion, il convainc aussi Pie X de conférer à Desjardins le titre de commandeur de l'Ordre de Saint-Grégoire-le-Grand, une décoration dont le prestige ne manquera pas de rejaillir sur les caisses populaires.

C'est dans les rangs du clergé, en particulier parmi les animateurs des mouvements d'action catholique, que Desjardins recrute ses principaux collaborateurs. Le plus dévoué d'entre eux est l'abbé Philibert Grondin, qui mène une campagne de promotion très soutenue dans les journaux. De 1909 à 1920, cet enseignant au Collège de Lévis signe pas moins de 300 articles de journaux, tous consacrés aux caisses populaires.

En dehors du clergé, c'est du côté des militants nationalistes que Desjardins recueille ses meilleurs appuis. Encore là, Desjardins profite d'un contexte de mobilisation. La participation du Canada à la guerre des Boers, décidée par le gouvernement de Laurier en 1899, provoque une vive réaction anti-impérialiste qui sera à l'origine de la résurgence du mouvement nationaliste. La mise sur pied de la Ligue nationaliste canadienne en 1903, la création de l'hebdomadaire *Le Nationaliste* en 1904 et du quotidien *Le Devoir*, en 1910, témoignent de ce climat de mobilisation. Pendant qu'Henri Bourassa combat l'impérialisme britannique et défend le respect des droits constitutionnels, d'autres nationalistes comme Errol Bouchette et Édouard Montpetit fixent leur attention sur les dimensions économiques de la question nationale et s'intéressent à l'éducation et aux moyens d'améliorer l'organisation économique.

Le journal *Le Devoir* affiche une grande sympathie pour la cause des caisses populaires. L'un de ses journalistes, Omer Héroux, signe fréquemment des commentaires très enthousiastes sur les progrès du mouvement.

De la Gaspésie au Témiscamingue

À partir de l'automne 1907, Desjardins consacre à la mise en place du réseau des caisses populaires une bonne partie des temps libres que lui laisse son emploi de sténographe français de la Chambre des communes. Du mois de mai jusqu'à la fin du mois d'octobre, il multiplie les voyages en train pour aller donner des conférences ou présider des assemblées de fondation de caisses populaires. Desjardins se rend là où on l'invite. Tout ce qu'il exige est le remboursement de ses frais de voyage et l'assurance que le curé est d'accord et déterminé à soutenir ses paroissiens dans cette entreprise. D'année en année, grâce à la publicité que lui font des journaux comme *La Vérité* et *Le Devoir*, les invitations à donner des conférences et les demandes pour la fondation de caisses populaires ne cessent d'augmenter.

Henri Bourassa, un partisan de Desjardins

Une [...] œuvre [...] intéressante et utile, que nous avons constamment soutenue, c'est celle des Caisses Populaires et du mouvement coopératif en général. L'initiateur de ce mouvement au Canada est un modeste : c'est M. Alphonse Desjardins, de Lévis. Que de peines il a eues à faire percer son idée ! Il avait le très grand tort de s'appeler Desjardins au lieu de Brown ou de MacFarlane. Ce vice d'origine le faisait tenir pour un incompétent en matière de finance. Car c'est là que nous avait conduits le servilisme colonial : nous en étions rendus à croire qu'un Canadien-français est, par nature et par éducation, forcément incompétent à traiter toute question économique et financière. De plus, M. Desjardins avait l'autre tort, non moins grand, d'être un simple fonctionnaire du parlement, au lieu d'être l'un des faiseurs ignorants et prétentieux qui légifèrent et gouvernent.

En dépit des obstacles que les politiciens et les hommes d'affaires à courtes vues ont mis à son œuvre, elle marche lentement mais sûrement ; et un jour viendra où le nom d'Alphonse Desjardins figurera dans l'histoire canadienne au rang de ceux de Raiffeisenen Allemagne et de Luzzati [*sic*] en Italie – bien au-dessus de la tourbe des ramasseurs de votes et des accapareurs d'écus... pour leur propre compte. Nous ne revendiquons que le seul honneur d'avoir un peu contribué à détruire les préjugés et les obstacles qui entravaient le progrès de cette œuvre si féconde et particulièrement utile à nos classes laborieuses des villes et des campagnes. – *Le «Devoir», son origine, son passé, son avenir. Discours de M. Henri Bourassa au Monument National le 14 janvier 1915*. Montréal, Imprimé au *Devoir*, [1915], p. 28.

Henri Bourassa (1868-1952), politicien et leader nationaliste canadien, fondateur du journal *Le Devoir* en 1910. Dupras & Colas. Archives nationales du Québec, P1000, S4,PB90-2.

Le 6 novembre 1909, au terme de sa tournée de fondation, Desjardins écrit : « Le mouvement est si intense qu'en ce moment même je dois laisser de côté pas moins de 22 invitations [...]. Je ne crains pas d'affirmer que si j'étais en état de répondre aux invitations locales, avant douze ou quinze mois il y aurait 150 de ces caisses dans Québec[2] ». Cette année-là, il aura fondé 15 caisses. Redoublant d'efforts, il porte ce chiffre à 19 en 1910, à 23 en 1911 et à 29 en 1912. Le 1er août 1913, il écrit à son ami Henri Bourassa : « L'an dernier, de toute ma vacance parlementaire, du 1er avril au 20 novembre, je n'ai été qu'un seul dimanche avec toute ma famille et il en sera de même cette année. Pourvu que j'aie [...] réussi à éveiller l'opinion et à créer un mouvement sérieux parmi mes compatriotes[3] ».

Partout où il a l'occasion de prendre la parole, Alphonse Desjardins invite les gens à s'associer, à rompre l'isolement qui les condamne à la faiblesse économique, à mettre en commun leurs ressources et à s'entraider. Il leur propose de regrouper leurs épargnes et de créer ainsi le réservoir de crédit où ils pourront emprunter en cas de besoin. Il les incite à se prendre en main et à jeter les bases d'une organisation qui leur permettra de conquérir leur indépendance économique. Il parle d'émancipation à la fois individuelle et collective et il esquisse de nouvelles perspectives d'avenir. « Appuyé sur la force que donne la possession d'un capital à l'abri des trahisons de la cupidité ou de l'égoïsme individuel [...], nous pourrons, affirme-t-il, accroître notre fortune nationale, grandir le prestige qu'elle comporte, prestige qui nous aidera à sauvegarder notre légitime influence[4]. »

Desjardins invité par le président américain

L'activité de Desjardins ne passe pas inaperçue dans les autres provinces canadiennes où les journaux lui consacrent parfois des reportages et des commentaires. Des invitations nombreuses témoignent de la popularité du fondateur des caisses à l'extérieur du Québec. N'ayant pas à sa disposition tout le temps requis, Desjardins ne pourra étendre son activité qu'en Ontario où ses occupations professionnelles l'amènent à séjourner plusieurs mois par année. En 1908, on le voit participer à l'organisation d'une caisse d'économie à l'intention des employés de la fonction publique fédérale. Entre 1910 et 1913, il établit pas moins de 18 caisses dans des localités où se trouvent de fortes concentrations de francophones. Desjardins accomplit ce travail avec le sentiment de procurer aux Franco-Ontariens un outil indispensable à leur survie.

En 1912, le président américain William Howard Taft invite Alphonse Desjardins à participer à un congrès des gouverneurs à la Maison-Blanche.

Ceux qui ne prenaient pas Desjardins au sérieux sont forcés de s'interroger lorsqu'ils constatent le respect que lui vouent les Américains et l'attention qu'ils portent au succès de la Caisse populaire de Lévis. Au fil des ans, Desjardins reçoit du courrier provenant de 24 États américains, dont cette lettre mémorable que lui fait adresser le président William Howard Taft en 1912, l'invitant à participer à un congrès des gouverneurs sur le crédit agricole. Dès 1908, le commissaire des banques du Massachusetts, Pierre Jay, communique avec

2. Archives de la CCPEDQ, Alphonse Desjardins à Sydney Fisher, ministre de l'Agriculture du Canada, 6 novembre 1909.
3. Société historique Alphonse-Desjardins, copie d'une lettre d'Alphonse Desjardins à Henri Bourassa, 4 septembre 1913.
4. Alphonse Desjardins, *La Caisse Populaire I*, Montréal, L'École sociale populaire, 1912.

Alphonse Desjardins pour se renseigner. C'est là le début d'une relation très fructueuse entre le fondateur des caisses populaires et les citoyens de plusieurs villes de la Nouvelle-Angleterre.

En plus d'accueillir chez lui ou à Ottawa des hommes politiques et des journalistes venus faire sa connaissance, Desjardins séjourne aux États-Unis à cinq reprises, de 1908 à 1912. Il se rend successivement au New Hampshire, au Massachusetts, à New York et au Rhode Island où il est accueilli par des hommes politiques, des associations ou des groupes de citoyens. Dans les États du Massachusetts et de New York, il collabore étroitement à la rédaction de textes de loi qui amèneront la création de coopératives d'épargne et de crédit semblables aux caisses populaires. D'autres États les prendront pour modèle dans les années subséquentes.

Desjardins profite également de ses séjours pour établir neuf caisses populaires, la plupart dans des communautés franco-américaines. En fondant, à Manchester, le 24 novembre 1908, la Caisse populaire de Sainte-Marie, première caisse populaire à voir le jour en sol américain, il allait inscrire son nom dans l'histoire américaine à titre d'instigateur de la coopération d'épargne et de crédit.

Au cours de sa carrière, Desjardins aura participé personnellement à la fondation de 163 caisses populaires, dont 136 au Québec, 18 en Ontario et 9 aux États-Unis. Au Québec, c'est en milieu rural que se retrouvent la très grande majorité des caisses. L'importance des besoins de crédit des cultivateurs explique sans doute que les demandes de fondation adressées à Alphonse Desjardins proviennent plus souvent de la campagne que de la ville. En vue

Maison qui abrita la première caisse populaire aux États-Unis, dans la paroisse Sainte-Marie à Manchester. On vient d'en faire un centre d'interprétation de l'histoire des *credit unions* américaines. La contribution d'Alphonse Desjardins y sera mise en valeur. Carte postale. Société historique Alphonse-Desjardins.

La Caisse populaire de Lévis logera dans cet immeuble de la rue Bégin à Lévis de 1919 à 1950.
ANQ-Québec, Collection initiale, fonds Action catholique, P428/287/3.

Dorimène, Adrienne et Albertine Desjardins

Dorimène Desjardins (1858-1932) a été une collaboratrice très précieuse. La Caisse populaire de Lévis n'aurait peut-être jamais pris son envol sans le soutien constant qu'elle lui a apporté. De 1903 à 1905, durant les longs séjours d'Alphonse Desjardins à Ottawa, c'est Dorimène Desjardins qui s'occupait de la gestion quotidienne de la caisse en plus de ses responsabilités de mère de famille et de ses multiples tâches domestiques. Elle ne cessa par la suite d'épauler son mari dans cette aventure à laquelle elle croyait fermement.

Albertine Desjardins. Société historique Alphonse-Desjardins.

Au dire de *L'Action catholique*, Dorimène Desjardins était sans aucun doute « l'une des femmes les plus au courant de la question économique considérée du point de vue social[5] ». Ainsi, après le décès du fondateur survenu en 1920, les leaders de la jeune Union régionale de Québec n'hésiteront pas à la consulter sur de nombreuses questions concernant la conduite et l'orientation des caisses[6].

Bien qu'elles ne touchaient pas de rémunération comme leur grand frère Raoul, assistant-gérant de la Caisse de Lévis depuis 1906, Adrienne (1888-1965) et Albertine (1891-1968), les filles d'Alphonse et Dorimène Desjardins, ont tout de même apporté une importante contribution. Jusqu'à son entrée en religion, en 1917, Adrienne a joué le rôle de secrétaire particulière de son père, tant à Lévis qu'à Ottawa. Elle accomplissait une variété de tâches allant de la prise de notes à la transcription de textes, de la correspondance à la préparation de bilans annuels. Quant à Albertine, elle aidait son père plus particulièrement en transcrivant sa correspondance au moyen d'un clavigraphe. Après 1917, elle prendra la relève d'Adrienne lorsque celle-ci quittera le foyer familial[7].

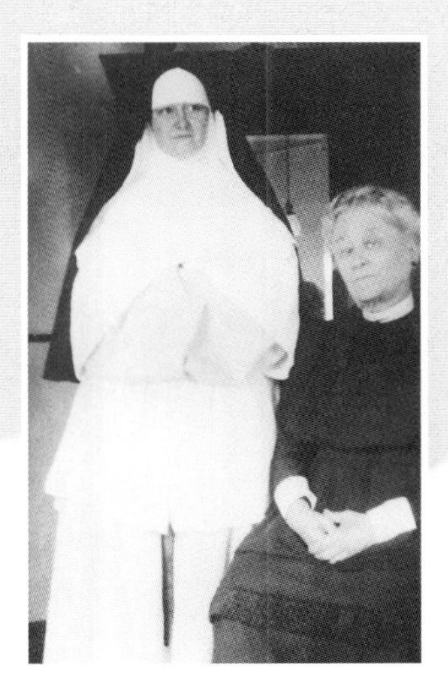

Adrienne Desjardins (sœur Marie-du-Calvaire) et sa mère Dorimène Desjardins, en 1920.

d'améliorer le rendement de leur exploitation et d'en tirer un meilleur revenu, les cultivateurs doivent régulièrement investir pour acquérir de la terre, acheter des instruments aratoires, des équipements de ferme, des engrais, etc. La longueur des cycles de la production agricole oblige certains cultivateurs à recourir au crédit en attendant les fruits de la vente de leurs produits sur les marchés. La caisse populaire, souvent la seule institution financière dont ils peuvent espérer l'établissement dans leur paroisse, leur rend donc de précieux services.

Logée discrètement dans un presbytère, une salle paroissiale, la boutique d'un marchand ou la résidence personnelle de son gérant, dotée d'un équipement très rudimentaire, elle n'a rien pour épater. Mais « la modestie des débuts, se plaît à répéter Alphonse Desjardins, n'est pas un obstacle à la grandeur future. »[8]

L'ŒUVRE INACHEVÉE

En 1914, Desjardins est forcé de ralentir son rythme de travail. Il ressent alors les premiers symptômes d'une maladie appelée urémie, dont il mourra six ans plus tard. En 1916, il met fin à

5. *L'Action catholique*, 14 juin 1932.
6. Guy Bélanger, « Dorimène, Adrienne, Albertine et les autres », *La Revue Desjardins*, 6 (1990), p. 13.
7. *Ibid.*, p.14.
8. Alphonse Desjardins, « Les caisses d'épargne et de crédit populaire », *La Vérité*, 15 décembre 1906, p. 179.

Commémoration du décès d'Alphonse Desjardins survenu le 31 octobre 1920. CCPEDQ.

ses voyages et délègue la responsabilité des fondations à un comité présidé par son fidèle collaborateur, l'abbé Philibert Grondin. Quant à lui, il se concentre sur la surveillance des activités des caisses existantes et entretient une correspondance très suivie avec les gérants et les gérantes qui ont le plus besoin d'être conseillés. À mesure que sa santé se dégrade, son épouse Dorimène et sa fille Albertine doivent de plus en plus souvent l'assister dans son travail.

Dans les dernières années de sa vie, Alphonse Desjardins tente en vain de provoquer la création d'une fédération et d'une caisse centrale dans le but d'unir et de fortifier le réseau des caisses. La fédération dont il souhaite l'établissement assumerait des fonctions de surveillance, d'inspection et de propagande. Le personnel aurait la responsabilité de fonder des caisses, d'assurer leur sécurité et leur bon fonctionnement par des inspections régulières et de publier un bulletin périodique d'information à l'intention des dirigeants et des gérants. À côté de la fédération, une caisse centrale s'occuperait de faire fructifier les surplus de liquidités des caisses locales et de consentir des prêts à celles qui manquent de fonds.

Son mauvais état de santé, les problèmes de financement rattachés à la création de ces organismes et l'accueil mitigé que reçoit son projet au sein des caisses empêcheront Desjardins de le mener à terme. Certains dirigeants de caisses manifestent en effet de sérieuses réserves. Ils voient dans la fédération une menace à l'autonomie de leur caisse et redoutent qu'une caisse centrale n'entraîne une centralisation des fonds à Lévis.

Même si elle reste inachevée, l'œuvre d'Alphonse Desjardins n'en constitue pas moins un héritage d'une valeur inestimable pour l'avenir économique des Canadiens français. Au moment de son décès, le 31 octobre 1920, on compte environ 140 caisses populaires en activité dans la province de Québec. Elles regroupent 31 000 membres et possèdent un actif dépassant six millions de dollars. Tout cela a été réalisé sans aucune aide financière des gouvernements. Certes, les résultats sont encore modestes, mais la formule semble déjà très prometteuse pour organiser le crédit populaire et donner aux Canadiens français le contrôle de leur épargne.

1920-1944

Regroupements et essor

[...] Pour réaliser ce qui fait notre fierté aujourd'hui, il aura fallu un travail patient, réfléchi et ordonné de même qu'une vision intelligente de ce qu'il était possible d'accomplir avec des ressources souvent modestes.

G. Roger Roy

Président de la Fédération des caisses populaires Desjardins de l'Estrie de 1968 à 1991.

CHAPITRE 4

Un avenir incertain

Les années 1920 à 1932 apparaissent comme les plus périlleuses de toute l'histoire des caisses populaires. Mal encadré et livré à la merci d'une conjoncture économique souvent très défavorable, le jeune mouvement coopératif piétine et son avenir est incertain. Malgré de nombreuses embûches, les dirigeants qui prennent la relève d'Alphonse Desjardins réussissent peu à peu à mettre en place les structures d'organisation indispensables aux progrès futurs.

1921-1923 : EFFONDREMENT DES PRIX AGRICOLES

La conjoncture économique change radicalement peu de temps après le décès d'Alphonse Desjardins et les lacunes dans l'organisation du mouvement se font cruellement sentir. La prospérité artificielle engendrée par la guerre de 1914-1918 prend fin abruptement en 1921, lorsque les pays européens cessent d'importer massivement des produits manufacturés et des denrées agricoles. L'économie québécoise entre alors en récession. On parle même de crise économique en 1921. Le nombre de faillites commerciales connaît alors une forte augmentation, tandis que la valeur de la production manufacturière et celle de la production agricole accusent des baisses importantes. Les effets de cette crise économique sont particulièrement sévères dans l'agriculture où ils se font sentir jusqu'en 1924, entraînant une baisse radicale des revenus des cultivateurs. En 1923, les prix agricoles sont en moyenne deux fois plus bas qu'en 1920. Cent litres de lait se vendaient 2,40 $ en 1920 ; la même quantité ne vaut plus que 1,57 $ en 1921 et 1,42 $ en 1922. Évalués à 460 millions de dollars en 1920, les revenus bruts des agriculteurs québécois sont réduits à 318 millions en 1921 et à 144 millions en 1923.

Beurrerie à Sainte-Famille, île d'Orléans. (Edgar Gariépy). ANQ, Québec, P600-6/GH-1072-29.

Pendant la guerre, plusieurs cultivateurs s'étaient endettés pour acheter des terres et des équipements de ferme. Tous cherchaient à augmenter leur production pour profiter des prix élevés sur un marché dopé par la demande européenne. Victimes de l'effondrement des prix, bon nombre d'entre eux se trouvent incapables de rembourser leurs emprunts et doivent déclarer faillite.

Des milliers de familles quittent la campagne pour la ville ou pour le pays voisin. Le mouvement d'émigration aux États-Unis, qui s'était presque arrêté durant la décennie précédente, reprend avec une ampleur alarmante. En 1923, un évêque québécois note que, dans « les onze diocèses où l'on a pu suivre avec exactitude le mouvement des émigrants, 2563 familles ont quitté leur paroisse », au cours des douze derniers mois[1].

Comment remplacer Alphonse Desjardins ?

Cette crise économique a d'importantes répercussions dans les caisses populaires. Forcées de se débrouiller sans aucun soutien technique ou financier, plusieurs éprouvent des difficultés ; certaines doivent même fermer leurs portes. La fédération et la caisse centrale que Desjardins rêvait d'établir font cruellement défaut. Dans l'opinion publique, des doutes sur l'avenir des caisses commencent à se manifester. En 1922, l'actif de l'ensemble des caisses subit une baisse de l'ordre de 9,3 %. Le nombre de membres connaît même une diminution entre 1922 et 1924. La création de structures permettant de regrouper les caisses et de mettre en place les services nécessaires à leur bonne gestion et à leur sécurité financière apparaît donc comme une tâche urgente.

Mais qui peut s'en charger ? Alphonse Desjardins n'a désigné aucun successeur pour le remplacer. Il ne pouvait d'ailleurs le faire, étant donné qu'aucune organisation ne chapeaute les caisses populaires. Personne ne peut donc prétendre exercer une autorité sur les caisses populaires et jouer auprès d'elles le rôle de guide ou de conseiller qu'à titre de fondateur Desjardins jouait naturellement. Cependant, dans les régions, des leaders vont rapidement s'affirmer et s'attaquer au problème d'organisation des caisses populaires.

Ceux qui prennent ainsi la relève sont pour la plupart des prêtres. Missionnaires agricoles ou responsables des mouvements d'action catholique, tous avaient collaboré aux travaux d'Alphonse Desjardins et avaient même à leur actif quelques fondations de caisses populaires. Le plus connu d'entre eux est l'abbé Philibert Grondin, l'auteur du fameux *Catéchisme des caisses populaires*. C'est à ce professeur du Collège de Lévis et missionnaire agricole que Desjardins avait confié en 1916 la présidence d'un comité pour la fondation des caisses.

Joseph-Roger-Irénée Trudel (1871-1931), missionnaire agricole, propagandiste des caisses, administrateur de l'Union régionale des caisses populaires Desjardins de Trois-Rivières de 1920 jusqu'à son décès en 1931. Il sera également secrétaire du Comité de propagande des caisses populaires, de 1923 à 1925, et président du Comité central de propagande des caisses populaires à partir de 1925. CCPEDQ, 1016-53-29 (01).

Participants à l'assemblée générale annuelle de l'Union régionale de Québec et de la Caisse centrale Desjardins de Lévis, en 1927. Dans la première rangée, de gauche à droite : J.-A.-Xavier Labrie, gérant de la Caisse centrale, les abbés Philibert Grondin et Victor Rochette, le vérificateur Wilfrid Boulet et le président, Cyrille Vaillancourt. CCPEDQ, 1011-01-01(01).

1. Cité dans Yves Roby, *Les Québécois et les investissements américains (1918-1929)*, Québec, Presses de l'Université Laval, 1976, p. 60.

Dans la région de Trois-Rivières, un nom émerge : l'abbé Joseph-Roger-Irénée Trudel, également missionnaire agricole et homme de confiance de son évêque en matière de coopératives et d'agriculture. À Montréal, c'est le directeur des œuvres sociales du diocèse, l'abbé Edmour Hébert ; dans la Gaspésie et le Bas-Saint-Laurent, c'est l'abbé Joseph-Alexis Saint-Laurent. Avec l'aide de quelques dirigeants de caisses laïques, ces religieux jetteront les bases des premières structures d'organisation.

LES TRIFLUVIENS PASSENT À L'ACTION

Contrairement à ce qu'avait proposé Alphonse Desjardins, ses successeurs ne créeront pas une fédération provinciale ni une caisse centrale, mais des unions et des caisses régionales. La première union régionale voit le jour à Trois-Rivières, dès le 15 décembre 1920. Ce choix est révélateur de la force de l'idéal d'autonomie et de décentralisation auquel adhèrent les dirigeants des caisses dans les régions. Il exprime sans doute aussi de forts sentiments d'appartenance régionale. L'immensité du territoire québécois, l'importance des distances entre les régions, les traits économiques et culturels qui les caractérisent favorisent naturellement l'expression de ce phénomène d'identité régionale.

La participation du clergé est un autre facteur qui milite en faveur de l'établissement de structures régionales. Car les prêtres, qui s'étaient associés au travail d'Alphonse Desjardins, œuvraient pour la plupart à l'intérieur de cadres diocésains. En s'occupant de la fondation et de la surveillance des caisses de leur diocèse, les Trudel, Hébert et Saint-Laurent avaient mis en place des structures d'organisation régionales embryonnaires, dont les unions régionales peuvent être vues comme un prolongement. Il faut remarquer d'ailleurs que le territoire des unions régionales est calqué directement sur celui des diocèses.

La proposition d'une fédération provinciale et d'une caisse centrale, faite par Desjardins, dans une lettre adressée aux caisses le 3 juillet 1920, avait soulevé de fortes réserves dans certains milieux. Dans la région de Trois-Rivières, plusieurs dirigeants de caisses s'étaient empressés d'afficher leur préférence pour une organisation régionale. Dès le 18 août 1920, une assemblée regroupant les représentants de neuf caisses approuvait « l'idée d'une fédération diocésaine » et d'une « caisse centrale sous le contrôle de la fédération diocésaine ». Le 15 décembre, un mois et demi seulement après le

Les caisses du diocèse de Trois-Rivières ont été les premières à se regrouper au sein d'une union régionale en 1920. Vue de la rue Notre-Dame à Trois-Rivières en 1924. Archives du Séminaire de Trois-Rivières, FN-0064-32-09.

décès d'Alphonse Desjardins, les Trifluviens passent à l'action avec la caution de leur évêque. Dans leur esprit, cette union régionale n'exclut pas la création d'une fédération provinciale. Les statuts adoptés le 15 décembre parlent d'ailleurs d'une éventuelle union centrale qui pourra voir le jour lorsque chaque région aura créé son union régionale.

Réaction des Lévisiens

Alphonse Desjardins, Dorimène et leur fils cadet Charles. Né en 1902, ce dernier a reçu ce prénom en l'honneur de Charles Rayneri, président de la Banque populaire de Menton (France).
Société historique Alphonse-Desjardins.

Au cours de la décennie, d'autres unions régionales sont organisées à Québec (le 27 décembre 1921), à Montréal (le 27 juin 1924) et enfin en Gaspésie (le 1er septembre 1925). Le modèle d'organisation régional défini par les Trifluviens ne fait pourtant pas l'unanimité et est l'objet de contestation de la part des Lévisiens qui dirigent l'union régionale de Québec. Fidèles au plan esquissé par Alphonse Desjardins, ceux-ci tentent en 1924, avec la caution morale de son épouse Dorimène Desjardins, de provoquer un regroupement provincial en créant la Caisse centrale Desjardins de Lévis. L'objectif visé est de centraliser à Lévis les liquidités de toutes les caisses populaires de la province et de jeter du même coup les bases d'une fédération provinciale. La vive opposition manifestée par les Trifluviens et les Gaspésiens forcera ses organisateurs à renoncer à leur projet et à se contenter d'un champ d'action régional.

Les unions régionales sont des sociétés coopératives dont les membres sont des caisses populaires. Elles jouent toutes un rôle identique. Bien qu'elles soient autonomistes, elles adoptent les mêmes règlements, élaborés le 19 novembre 1921. Elles se donnent la tâche de défendre les intérêts des caisses populaires, d'exercer sur elles une surveillance efficace au moyen d'une inspection régulière, de promouvoir la coopération et de fonder d'autres caisses populaires. À cela s'ajoutent les fonctions qui relèvent spécifiquement des caisses régionales, soit la centralisation des surplus de liquidités des caisses affiliées, les prêts et la compensation des chèques et des ordres de paiement.

Les principes qui guident leur action sont la confessionnalité, la décentralisation économique, l'organisation du crédit populaire par la base, l'action libre de l'initiative privée et l'autonomie des caisses. En effet, les caisses locales restent libres d'adhérer ou non à l'union régionale. Pour en devenir membre, elles doivent souscrire au moins dix parts sociales de 5$ et s'engager à payer une cotisation annuelle de 2% de leurs bénéfices nets avant le paiement des bonis, et dont le maximum est fixé à 50$.

Des caisses jalouses de leur autonomie

Les premières années d'activité des unions régionales sont marquées par de nombreuses difficultés. Le manque de ressources financières, un personnel beaucoup trop restreint et le refus d'un certain nombre de caisses de s'affilier, de se soumettre à une inspection annuelle ou encore d'encourager par des dépôts la caisse régionale, empêchent les unions régionales de jouer efficacement leur rôle.

Tous ces problèmes les poussent à se concerter et à coordonner leurs efforts pour trouver des solutions. Dès 1923, un comité de propagande des caisses populaires est institué par les dirigeants des unions régionales afin d'adresser au gouvernement une demande d'aide financière. De 1923 à 1929, le comité verra au partage de subventions annuelles, variant entre 3000$ et 7000$, versées par le gouvernement

Jusqu'à la Révolution tranquille, la religion catholique tient une place très importante dans la vie des Québécois. Omniprésente dans les institutions, la paroisse et de nombreux organismes, elle rejoint l'âme du peuple par la sacralisation du quotidien. Cérémonie de confirmation à Saint-Alexandre de Kamouraska. (Ulric Lavoie, 1917). Musée du Bas-Saint-Laurent, n° 2342.

Le notaire Raoul Desjardins (1880-1951), fils aîné d'Alphonse Desjardins, en compagnie de sa fille Marie-Marthe. Raoul Desjardins est devenu gérant de la Caisse populaire de Lévis à la mort de son père en 1920. De 1921 à 1924, il a en outre assumé la gérance de l'Union régionale des caisses populaires de Québec. Société historique Alphonse-Desjardins.

provincial pour payer une partie des coûts reliés au travail de propagande et d'inspection. Le comité s'adresse aussi aux caisses populaires, au moyen d'une lettre circulaire, pour les inciter à s'affilier à une union et à accepter l'inspection volontaire. Jalouses de leur autonomie, plusieurs caisses refusent de joindre les rangs. En 1925, 35% d'entre elles ne font toujours pas partie d'une union régionale. Pour vaincre cette résistance, on se résoudra à demander au gouvernement de rendre l'inspection obligatoire. Une loi à cet effet est sanctionnée le 3 avril 1925.

Rosa Boutin-Gourde, adjointe au gérant de la Caisse populaire de Saint-Lambert, devant le guichet de sa caisse vers 1950. *Album souvenir 50 ans, 1944-1994, Caisse populaire Desjardins de Saint-Lambert, Lévis.*

Des femmes et des caisses

Durant plusieurs décennies, les caisses populaires ont regroupé surtout des hommes. Dans les années 1940, par exemple, les femmes représentaient généralement moins de 10 p. cent des participants aux assemblées de fondation, une statistique qui ne surprend guère à une époque où la responsabilité financière de la famille incombait principalement aux hommes. Il faut dire que le règlement des caisses n'avait rien pour encourager la participation des femmes mariées. En accord avec l'esprit et la lettre de la loi québécoise, il ne leur accordait qu'un statut de membre auxiliaire qui les assimilait à toutes fins utiles aux mineurs. Pour devenir membre de la caisse et pour avoir le droit d'emprunter, les femmes devaient au préalable avoir obtenu le consentement de leur mari. De plus, elles n'avaient pas le droit de vote et ne pouvaient assumer de fonction administrative.

Des gérantes sans le titre

Et pourtant, nombreuses sont les femmes mariées qui, à l'instar de Dorimène Desjardins, ont assumé la fonction de gérante bien que ce fût leur époux qui portait officiellement le titre. Ancien chef des inspecteurs de la Fédération provinciale, Rosario Tremblay estime à 75 p. cent la proportion des caisses gérées par des femmes au milieu du XXe siècle.

« L'évolution » des années 1960

C'est en 1964, à la suite de l'adoption de la loi 16, que l'Assemblée législative du Québec mit fin à l'incapacité juridique de la femme mariée. Mais il faudra davantage pour changer la société et la situation globale des femmes au sein des caisses. La croissance financière de l'après-guerre et le processus de modernisation des caisses au cours des années 1960 se traduisent plutôt par un recul de la présence des femmes : en 1970, elles ne comptaient plus que pour 14 p. cent des gérants et 4,2 p. cent de l'ensemble des dirigeants.

Monique Vézina : la première femme présidente d'une union régionale

Il faut attendre jusqu'au milieu des années 1970 pour qu'une femme accède à un poste de direction au sein des instances fédératives du Mouvement Desjardins. En 1976, Monique Vézina sera la première femme à être élue à la tête d'une union régionale (Bas-Saint-Laurent) et, à partir de février 1977, à siéger au conseil d'administration de la fédération provinciale (l'actuelle Confédération). En 1994, Madeleine Lapierre, présidente de la Fédération de Richelieu-Yamaska, siégera à son tour au conseil.

Une « démocratie inachevée »

En 1989, même si elles forment la moitié du sociétariat, les femmes comptent pour seulement 19 p. cent des dirigeants bénévoles et leur présence se concentre dans des postes considérés moins stratégiques sur le plan décisionnel ; chez les directeurs généraux, elles n'ont pas non plus réussi à franchir le cap des 20 p. cent même si elles constituent au-delà de 80 p. cent du personnel.

Durant la décennie 1990-2000, la constitution de réseaux féminins et la mise en œuvre par les fédérations et la Confédération – mais également à l'initiative de certaines caisses – de moyens particuliers pour accroître la présence des femmes dans le Mouvement, a porté des fruits. Ainsi, au 31 décembre 1999, la proportion des femmes parmi les dirigeants bénévoles des caisses dépassait 28 p. cent. Depuis 1995, elles occupent un peu plus de 20 p. cent des postes de directeurs généraux mais leur part a peu évolué depuis. On note cependant que, plus l'actif des caisses est élevé, moins les femmes sont nombreuses à occuper cette fonction. D'ailleurs, aucune femme n'a jamais dirigé de caisse dont l'actif dépasse 150 millions de dollars.

Chômeurs employés à des travaux publics à Verdun, en 1938. ANQ, Montréal, P48,2757.

Par ailleurs, les unions régionales ont fort à faire pour amener les caisses à confier des dépôts à leur caisse régionale. Plusieurs hésitent à faire confiance à ces organisations nouvelles qui offrent peu de garanties ; elles préfèrent continuer de placer elles-mêmes leurs surplus de liquidités afin d'en tirer un meilleur rendement. En 1925, les unions régionales organisent un congrès à Québec dans l'espoir de tisser des liens plus étroits avec les caisses populaires.

À cause de leur manque de ressources, les unions régionales ne parviennent pas à insuffler un véritable élan au Mouvement des caisses populaires. Au cours des années 1920, seulement 115 caisses sont fondées.

La prospérité économique de la seconde moitié des années 1920 permet aux caisses populaires et aux unions régionales de reprendre leur souffle. Mais le répit est de courte durée. En 1929, à la suite du krach de Wallstreet à New York, une crise d'une intensité sans précédent s'abat sur le Québec. La valeur de la production manufacturière et de la production agricole est en chute libre pendant plusieurs années. De nombreuses industries cessent leurs activités, entraînant la perte de milliers d'emplois. En progression constante depuis 1930, le taux de chômage frise 25 % en 1933.

Les caisses populaires sont mises à rude épreuve et le nombre de celles qui abandonnent la partie est inquiétant. Douze caisses sont liquidées en 1930, huit en 1932 et huit autres en 1933. Pendant ce temps, plusieurs autres caisses doivent suspendre leurs activités, dans l'attente que les emprunteurs puissent rembourser leurs emprunts. Leur nombre dépasse la vingtaine. À l'instar des banques, les caisses subissent une diminution importante de leur actif, qui passe de 11,4 millions en 1929 à 8,5 millions en 1933. L'année 1932, la plus difficile de toutes, se termine avec des résultats en baisse de 12,2 % par rapport à l'année précédente.

Dans les années 1930, Mary Travers (1894-1941) dite « La Bolduc » a chanté la misère du peuple aux prises avec les difficultés causées par la crise. Timbre émis par Postes Canada en 1994 pour souligner les cent ans de la naissance de « La Bolduc ».

Cyrille Vaillancourt : bâtisseur et figure de proue

Cyrille Vaillancourt est celui qui s'est illustré à titre de bâtisseur du Mouvement Desjardins après le décès du fondateur. Du milieu des années 1920 jusqu'à la fin des années 1960, rien d'important ne survient dans le monde des caisses populaires sans que Cyrille Vaillancourt ne compte parmi les principaux acteurs, qu'il s'agisse de la fondation de la fédération provinciale, de l'acquisition ou de la création des premières sociétés filiales dans les domaines de l'assurance et de la fiducie, de la refonte des lois régissant les caisses populaires, de la construction des sièges sociaux ou encore des congrès de caisses populaires.

Né à Saint-Anselme de Dorchester le 17 janvier 1892, Vaillancourt a consacré toute sa vie à la coopération et à l'organisation économique du Québec. Il commence sa carrière au ministère de l'Agriculture du Québec, où on lui confie la direction du Service de l'apiculture et de l'industrie de l'érable. Il fonde d'ailleurs, en 1917, la Société coopérative des apiculteurs et, en 1925, la Société coopérative des producteurs de sucre d'érable qu'il gère jusqu'en 1969. De 1939 à 1947, il donne à plusieurs reprises un cours sur la coopération à l'Université Laval et il participe, en 1939, à la création du Conseil supérieur de la coopération.

Cyrille Vaillancourt est actif dans le Mouvement Desjardins à partir de 1924, moment de son élection au conseil d'administration de la Caisse populaire de Lévis. Deux ans plus tard, on le retrouve à la tête de l'Union régionale de Québec et de la Caisse centrale Desjardins de Lévis dont il est aussi le gérant. Principal promoteur de la Fédération de Québec des unions régionales de caisses populaires Desjardins, il devient l'âme de cette organisation qu'il dirige sans interruption de sa fondation, en 1932, jusqu'à 1969, d'abord à titre de président-gérant (1932-1936), puis de directeur général.

Cyrille Vaillancourt (1892-1969). (Blank & Stoller, Ltd.). CCPEDQ.

À partir de 1943, Cyrille Vaillancourt se signale également sur la scène politique. Sa fidélité au Parti libéral et sa compétence en matière économique lui valent d'être nommé conseiller législatif du Québec le 24 février 1943. L'année suivante, le premier ministre W.L. Mackenzie King lui offre un siège au Sénat qu'il occupera jusqu'à sa mort, survenue le 30 octobre 1969.

Jours après jour, les coffres se vident

La situation est d'autant plus catastrophique que les unions régionales se retrouvent presque sans ressources financières. Bon nombre de caisses ne leur font plus parvenir leur cotisation et elles ne touchent plus aucune subvention gouvernementale. En 1929, le ministre de l'Agriculture, insatisfait des résultats obtenus par les services d'inspection des unions régionales, décide de mettre fin aux subsides. Le gouvernement n'a plus l'intention de contribuer financièrement à l'inspection des caisses, à moins qu'on lui en confie la responsabilité, ce que les dirigeants d'unions régionales refusent catégoriquement.

La crise provoque des événements dramatiques. En 1932, en raison des graves difficultés éprouvées par la Caisse centrale Desjardins de Lévis, tout le mouvement se retrouve au bord de l'abîme. Incapable d'obtenir le remboursement d'un prêt de plusieurs milliers de dollars, obligée de remettre des sommes importantes aux caisses populaires qui ne cessent de retirer des fonds dans leur compte, la Caisse centrale Desjardins de Lévis doit aussi composer avec une importante baisse de rendement de son portefeuille d'obligations. Jour après jour, les coffres se vident. En juillet 1932, le manque de liquidités oblige la caisse centrale à suspendre ses activités. Cyrille Vaillancourt, qui dirige à la fois l'union régionale de Québec et la Caisse centrale, cherche désespérément des solutions. Ses démarches auprès du premier ministre Louis-Alexandre Taschereau n'ont aucun succès. Heureusement, il trouve chez le cardinal Rodrigue Villeneuve une oreille plus attentive. Et c'est grâce à une lettre de garantie de 40 000 $, donnée par l'archevêché de Québec à la Banque provinciale du Canada, que la Caisse centrale pourra obtenir tout le crédit dont elle a besoin pour se renflouer et sortir de l'impasse.

Une direction centralisée, représentative et responsable

Au cours de cette même année, une fédération provinciale vient compléter la structure organisationnelle du mouvement des caisses populaires. Dotée d'une subvention annuelle de 20 000 $, allouée par le gouvernement provincial, elle met fin à la disette financière et ouvre la voie à une expansion véritable des caisses populaires sur le territoire du Québec. La création de cette fédération provinciale est dictée avant tout par des considérations financières. C'était la condition pour que le gouvernement accepte d'allouer les subventions que réclamaient les unions régionales pour l'inspection et la propagande des caisses populaires.

Si l'idée d'une fédération provinciale a de nombreux partisans à Québec et à Montréal, elle suscite peu d'intérêt chez les Trifluviens qui se posent en défenseurs de l'autonomie régionale. En 1926, ils s'étaient d'ailleurs objectés à une proposition, venue de Montréal, de créer une fédération.

Au début des années 1930, les conditions posées par le gouvernement ramènent le projet sur la table. Contrairement à son prédécesseur, qui liait la subvention à l'inspection des caisses par le gouvernement, Adélard Godbout, ministre de l'Agriculture entré en fonction le 27 novembre 1930, se dit prêt à subventionner l'inspection des caisses sans pour autant exiger un contrôle gouvernemental ; toutefois, les caisses populaires devront se donner une direction centralisée, représentative et responsable, avec laquelle le gouvernement pourra conclure des ententes.

De son côté, le gouvernement est plus intéressé que jamais à encourager la diffusion des caisses populaires afin d'apporter une solution au problème du crédit agricole. Depuis plus de dix ans, les cultivateurs et les députés ruraux le pressent d'agir et d'instaurer un système de crédit agricole. Craignant les coûts d'un tel système, le gouvernement préfère miser sur les caisses populaires. C'est ainsi que, le 17 novembre 1931, lors d'une réunion tenue à Trois-Rivières, les représentants des quatre unions régionales existantes décident de fonder une fédération provinciale.

Une loi, assortie d'un contrat, précisera les conditions de l'entente entre la fédération des unions régionales et le gouvernement. La Loi concernant les caisses populaires dites

La mécanisation des fermes conditionne les progrès de l'agriculture au XXe siècle. Le crédit est souvent nécessaire pour acquérir les instruments mécanisés offerts sur le marché. Batteuse actionnée par un moteur à essence à Bolton, Estrie.
(William James Topley). Archives nationales du Canada/PA-10324.

Desjardins, adoptée le 18 février 1932 et sanctionnée le lendemain, stipule qu'un montant de 20 000 $ sera affecté annuellement à la propagande et à la surveillance des caisses populaires dites Desjardins. Elle autorise à cette fin le secrétaire de la province à signer un contrat avec la Fédération de Québec des unions régionales des caisses populaires Desjardins, pour une période n'excédant pas dix ans, déterminant les conditions du paiement de cette subvention.

Préserver l'autonomie

Les unions régionales n'abandonnent pas sans réticences une partie de leurs responsabilités à la fédération provinciale. Dans ce processus de regroupement et de centralisation, les Trifluviens et les Gaspésiens se montrent particulièrement soucieux de préserver l'autonomie régionale et la décentralisation économique qui caractérisaient la structure organisationnelle mise en place dans les années 1920. Leur position est que la fédération devra, dans la mesure du possible, agir par l'intermédiaire des unions régionales. Les statuts et règlements de la Fédération, adoptés le 17 mars 1932, reflètent cette préoccupation. Les unions régionales ne lui ont délégué que les pouvoirs requis pour qu'elle soit en mesure de représenter l'ensemble de l'organisation des caisses auprès des gouvernements, d'en assurer la surveillance générale, d'administrer les subventions gouvernementales et de rendre compte de leur emploi.

La naissance de cette fédération provinciale constitue une étape décisive. Grâce à la subvention gouvernementale, on pourra maintenant relancer la diffusion des caisses et bâtir un système d'inspection plus efficace qui contribuera à l'amélioration de la sécurité financière de tout le réseau.

1935 : création de *La Revue Desjardins*

Parmi les témoins de l'évolution du Mouvement Desjardins on compte *La Revue Desjardins*, reconnue comme un excellent moyen de rejoindre les dirigeants et dirigeantes du Mouvement.

C'est en mars 1935, sous le nom de *La Caisse populaire Desjardins*, que *La Revue Desjardins* voit le jour. Dès le départ et sous l'impulsion de son fondateur, Cyrille Vaillancourt, qui en sera l'âme dirigeante durant plus de 30 ans, la revue est considérée comme « l'organe officiel de la Fédération de Québec des unions régionales des caisses populaires Desjardins ».

Vaillancourt se sert de cette nouvelle tribune pour mettre les caisses en garde contre toute dérogation aux pratiques et aux principes défendus par Alphonse Desjardins. L'histoire, le crédit, les valeurs coopératives, l'inspection et la prudence dans la gestion des liquidités sont ses sujets de prédilection.

Des noms aussi prestigieux que Philibert Grondin, Joseph Turmel, Guy Hudon, Paul-Émile Charron, Rosario Tremblay et, à l'occasion, Adrienne et Albertine Desjardins, filles du fondateur des caisses, signent des articles.

Aujourd'hui, après 65 ans de publication et dans un style résolument moderne, *La Revue Desjardins* poursuit son travail de formation et d'information auprès des dirigeants et dirigeantes bénévoles ainsi que des gestionnaires du Mouvement.

Au Québec, il n'y a pas
un quartier ou un village
qui ait exactement les mêmes
besoins qu'un autre...

Carmen Bélair

Dirigeante de la Caisse populaire Saint-Étienne de Montréal. Propos recueillis par *La Revue Desjardins* (1981).

CHAPITRE 5

Le vent dans les voiles

De façon tout à fait étonnante, après avoir soumis les caisses populaires à de rudes épreuves et mis leur avenir en péril, la crise économique va provoquer leur essor. Au cours des années 1930, la pauvreté et la misère créent un climat propice à la recherche de nouvelles formules d'organisation économique. Parce qu'elle répond parfaitement aux désirs de changement, aux espoirs d'émancipation économique et de justice sociale, la coopération devient une des solutions privilégiées pour sortir de la crise.

Durant la crise des années 1930, des organismes, tel le refuge Meurling à Montréal, portent secours aux sans-travail en leur servant des repas.
Ville de Montréal, Service du greffe, Division de la gestion des documents et des archives, VM94/Z-35.

Aussi, à partir de la seconde moitié des années 1930, les coopératives et les caisses populaires se multiplient à un rythme fulgurant; elles rassemblent des centaines de milliers de membres qui misent sur la solidarité et sur l'action collective pour se prendre en main et améliorer leur sort. Les caisses populaires effectuent alors une percée définitive et prennent place au rang des grands acteurs de la vie économique et sociale du Québec.

« Nous sommes pauvres, effroyablement pauvres »

La crise qui a éclaté en 1929 se prolonge pendant toute une décennie et ne prend fin véritablement qu'avec la Seconde Guerre mondiale. Malgré les signes de reprises qui apparaissent à partir de 1934, le retour à la normale se fait lent et incertain, surtout dans le domaine de l'agriculture où les prix des produits restent bas jusqu'à la guerre. Le chômage, dont le taux atteint des sommets en 1933, met du temps à se résorber. Les secours directs, les camps de travail, les soupes populaires, la colonisation de nouvelles terres sont autant d'images qui évoquent les conditions de vie très pénibles dans lesquelles se retrouve une grande partie de la population. Plus que jamais, la crise met en relief le problème de l'infériorité économique des Canadiens français.

Colons originaires de Charlesbourg installés à Macamic (1923). Amorcé en 1911, le peuplement de l'Abitibi a connu un boom durant les années de crise.
Archives nationales du Québec, P293, D6, P3.

Dans un ouvrage intitulé *Mesure de notre taille*, publié en 1936, Victor Barbeau, professeur à l'École des hautes études commerciales, dresse un bilan alarmant de la participation des Canadiens français à la vie économique : « À quelques exceptions près, constate-t-il, les principaux leviers de l'activité économique sont entre les mains des Anglais et des Américains». Barbeau fait le même constat que d'autres avant lui : « Nous sommes pauvres, effroyablement pauvres[1] ».

L'heure est aux remises en question et à la recherche de moyens d'action pour réaliser des réformes en profondeur. En témoigne le *Programme de restauration sociale* publié en 1933 sous l'égide de l'École sociale populaire. Rédigé par une dizaine de dirigeants sociaux rattachés aux cercles nationalistes, à l'enseignement universitaire, à la coopération et au syndicalisme agricole et ouvrier, le *Programme* prône le recours à des moyens comme l'association professionnelle, la coopération et le corporatisme.

Dans la seconde moitié des années 1930, les volontés de changement convergent de plus en plus vers la coopération que plusieurs voient comme une véritable planche de salut. On mise sur cette formule à la fois pour améliorer le sort des classes populaires et pour redresser la situation économique de l'ensemble des Canadiens français. Plusieurs manifestations témoignent de cette popularité soudaine de la coopération. En 1937, l'École sociale populaire en fait le thème de sa semaine sociale. Quelques mois plus tard, une lettre pastorale collective des évêques de la province de Québec la présente comme l'une des clés du problème rural. L'année suivante, l'Action nationale, organe du milieu nationaliste montréalais, lui consacre un numéro spécial : « Si nous nous sommes attaqués à ce problème, écrit la rédaction, c'est que nous voyons dans la coopérative l'un des instruments grâce auxquels les Canadiens français pourront opérer sans inutile violence le redressement économique et social dont l'urgence apparaît de plus en plus[2] ».

Au même moment, des institutions d'enseignement créent des programmes d'éducation coopérative. Suivant l'exemple donné par le Service d'éducation coopérative de l'Université Saint-François-Xavier d'Antigonish, l'Université Laval crée, en 1938, une chaire de coopération dont la direction est confiée au père Georges-Henri Lévesque. La Faculté des sciences sociales de l'Université de Montréal offre également un cours annuel sur la coopération. De son côté, l'École supérieure des pêcheries de Sainte-Anne-de-la-Pocatière

1. Victor Barbeau, *Mesure de notre taille*, Montréal, Imprimé au « Devoir », 1936, p. 24-28.
2. « Les Canadiens français et le coopératisme », *L'Action nationale*, XII (novembre 1939), p. 177.

organise le Service social-économique, voué spécialement à l'éducation coopérative des pêcheurs de la Gaspésie.

À partir de 1938, l'Union catholique des cultivateurs (ancêtre de l'Union des producteurs agricoles) se charge de répandre la connaissance de la coopération, par l'intermédiaire du journal *La Terre de chez nous* et des cercles d'étude qu'elle forme dans les paroisses. D'autres associations, comme les sociétés Saint-Jean-Baptiste ou les organismes qui regroupent la jeunesse catholique, prennent des initiatives pour promouvoir la coopération.

Le père Lévesque

Une des manifestations les plus significatives des efforts consacrés à la promotion de la coopération est la mise sur pied, en 1939, du Conseil supérieur de la coopération. Le père Georges-Henri Lévesque est à l'origine de cet organisme qui tentera de mieux faire connaître la coopération et de favoriser les échanges et la concertation à l'intérieur du mouvement coopératif. Dès 1940, le Conseil publie un manifeste qui propose une définition de la coopération et des principes sur lesquels elle repose. Selon le manifeste, la coopérative est « une association libre de personnes possédant une entreprise économique qu'elles dirigent et contrôlent démocratiquement pour la mettre à leur service ainsi qu'au service de tout le peuple[3] ». Les principes essentiels sont les suivants : « attribution d'un seul vote à chaque membre ; liberté d'entrée et de sortie ; non-confessionnalité, neutralité politique et ethnique ; éducation des coopérateurs ; distribution à chaque membre des trop-perçus (ristourne) au prorata des affaires transigées avec lui ; et limitation du taux de l'intérêt sur le capital ».

Georges-Henri Lévesque, lors du congrès sur la coopération, les 8 et 9 octobre 1948. Photo : Photo Moderne enr. CCPEDQ.

LA NON-CONFESSIONNALITÉ
DES COOPÉRATIVES

G. H. Lévesque, o. p.

COMMENÇONS par bien distinguer entre *neutralité* et *non-confessionnalité*.

La *neutralité*, dans son acception générale, signifie essentiellement le refus de prendre parti dans une alternative, d'être pour ou contre quelqu'un ou quelque chose. S'il s'agit de neutralité religieuse, c'est le refus de se prononcer soit pour ou contre la religion, soit pour ou contre telle ou telle religion. Plus précisément, pour un catholique, c'est le refus d'être pour ou contre le Christ, sa doctrine et son Eglise.

On voit tout de suite que la neutralité religieuse est une attitude foncièrement mauvaise parce qu'elle ne [...] accepter Celui qui, ess[...] exige l'adhésion: “Qui n'est pas avec [...] mné.” (2)

« La non-confessionnalité des coopératives », article controversé du père Georges-Henri Lévesque, publié en décembre 1945 dans la revue *Ensemble!*

3. *Manifeste du Conseil supérieur de la coopération*, Québec, Conseil supérieur de la coopération, 1940, 7 p.

Le Conseil supérieur de la coopération fait sa part pour animer et orienter les mouvements coopératifs avec la création de la revue *Ensemble!* en 1940 et l'organisation de congrès annuels à partir de 1939.

Une vague de coopératives déferle sur le Québec

Cette campagne d'information et d'éducation menée sur de nombreux fronts est en grande partie responsable de la forte vague de fondations d'entreprises coopératives qui déferle alors sur le Québec. Le nombre de coopératives agricoles, qui n'était que de 167 en 1936, passe à 462 en 1942. La même année, on compte 17 coopératives de pêcheurs alors qu'il n'en existait qu'une seule en 1938. Les coopératives d'exploitation forestière, implantées d'abord en Gaspésie à partir de 1938, sont au nombre de 21 en 1946. Quant aux coopératives de consommation lancées en 1937, leur nombre atteint 110 à la fin de 1943.

De toutes les entreprises coopératives, les caisses populaires sont celles qui connaissent la progression la plus spectaculaire. En 12 ans, de 1933 à 1944, 724 caisses populaires voient le jour au Québec, en plus de 6 nouvelles unions régionales. La moyenne annuelle des fondations de caisses est de 33 entre 1933 et 1936 et s'élève à 61 de 1937 à 1942. Le rythme s'accélère encore durant les deux années suivantes: on enregistre 110 fondations en 1943 et 115 en 1944, un record de tous les temps. À la fin de 1932, on ne comptait que 189 caisses populaires au Québec. Ce nombre est porté à 877 à la fin de 1944.

Quelques dirigeants de la Fédération des unions régionales sur un quai de gare, à Québec, durant la guerre. Au centre, portant l'uniforme, l'abbé Émile Turmel, inspecteur-propagandiste, secrétaire de la fédération (1932-1964) et aumônier du Régiment de la Chaudière. On aperçoit également, à partir de la gauche, le chef des inspecteurs, Rosario Trembaly (2e) et le gérant de la fédération, Cyrille Vaillancourt (3e). CCPEDQ.

Inauguration de la meunerie coopérative de Saint-Jean-Port-Joli en 1945.

Les « propagandistes »

Cette poussée extraordinaire n'aurait pas été possible sans la mobilisation de nombreux acteurs. Ceux qu'on appelle à l'époque les « propagandistes » des caisses profitent d'une collaboration très active de la part d'associations comme l'Union catholique des cultivateurs, les sociétés Saint-Jean-Baptiste et l'Ordre de Jacques-Cartier, société secrète vouée à la cause de l'affirmation économique des Canadiens français. Ces associations sont souvent à l'origine de la formation de groupes de citoyens qui, à l'intérieur des paroisses, prennent l'initiative de fonder une caisse populaire, préparent le terrain et s'adressent ensuite à leur union régionale pour demander la venue d'un propagandiste avec lequel ils mèneront le projet à terme.

L'État québécois participe également à ce vaste chantier. Les subventions qu'il accorde à la fédération provinciale, à partir de 1932, ne sont pas sans faciliter l'expansion du réseau. Afin de soutenir l'accroissement du travail relié à la fondation, à la surveillance et à l'inspection des caisses, le montant de la subvention est augmenté à quelques reprises pour atteindre 80000$ en 1942. Mais cette aide ne solutionne pas, loin de là, tous les problèmes de financement de la structure d'organisation qui chapeaute les caisses populaires. Même si la fédération leur redistribue une partie de la subvention gouvernementale, les unions régionales manquent de fonds pour s'acquitter de leur tâche. Leurs propagandistes sont littéralement débordés et incapables de suivre le rythme des demandes de fondations qui leur sont adressées. Il existe même des listes d'attente sur lesquelles sont inscrits les noms des paroisses prêtes à établir une caisse. À l'Union régionale de Québec, on s'affaire en 1943 à donner suite aux demandes reçues en 1941. «Comme je suis [le] seul propagandiste, écrit Joseph Turmel, je ne peux consentir à fonder que des caisses que je pourrai suivre et diriger. Nécessairement chacun passe à son tour[4].»

LE NOMBRE DE SOCIÉTAIRES SE MULTIPLIE PAR HUIT

Le réseau des caisses populaires s'étend donc rapidement dans toutes les régions du Québec. En 1944, près des deux tiers des paroisses possèdent une caisse, comparativement à seulement 15% en 1932. Cette densification du réseau est cependant plus forte à la campagne qu'à la ville. En 1944, 78,4% des caisses se trouvent à la campagne alors que les ruraux ne représentent plus que 36% de la population. L'absence d'institutions financières dans de nombreux villages, l'acuité des besoins de crédit des cultivateurs et la promotion des caisses par l'Union catholique des cultivateurs (UCC) sont autant de causes qui expliquent cette vitalité particulière du mouvement dans le monde rural.

En plus de se multiplier, les caisses populaires affichent une croissance financière très rapide, attribuable à une augmentation du nombre de membres et à la prospérité économique engendrée par la Seconde Guerre mondiale. Pendant que le nombre de caisses quadruple, celui des sociétaires se multiplie par huit, passant de 36 000 à la fin de 1933 à 304000 à la fin de 1944. Quant à l'actif des caisses, il décuple au cours de la même période. Tombé à 8,5 millions de dollars au plus fort de la crise, il connaît à partir de 1934 une progression continue qui le porte à 92,3 millions en 1944. Les caisses qui avaient beaucoup souffert de la crise profitent de la Seconde Guerre mondiale pour se renflouer. Les conditions économiques changent radicalement après le déclenchement du conflit: l'industrie tourne à plein régime, le chômage fait place au plein emploi et les salaires augmentent plus rapidement que les prix. Pour les membres des caisses, il devient alors plus facile d'épargner. C'est ainsi que le taux de croissance annuel moyen de l'actif des caisses, qui était de 14% de 1934 à 1940, s'élève à 45% au cours des quatre années suivantes. Un taux record de 59,5% est atteint en 1943.

Publicité publiée dans la revue *La Caisse Populaire Desjardins* en 1935.

4. Archives de la CCPEDQ, 11232-212, Joseph Turmel à Bertrand Laprise, 1er février 1944.

La coopération, au sein d'une municipalité, n'est qu'une application active, si l'on peut dire, des principes de paix qui doivent animer le monde entier. [...] Il faut être des amis, des collaborateurs, des artisans actifs d'une véritable coopération.

J. H. Bessette

Président du conseil d'administration de la Caisse populaire Saint-Jean-Deschaillons.

CHAPITRE 6

Deux conceptions s'affrontent

Si elles sont essentielles à l'expression de la solidarité et de la vie coopérative, les règles démocratiques laissent place aussi à des débats et à des confrontations qui peuvent parfois mener à des déchirements. C'est ce que vit le Mouvement Desjardins en 1945, à la suite d'une importante crise interne. Des désaccords sur le partage des responsabilités entre les unions régionales et la fédération provinciale, des divergences idéologiques et des rivalités politiques provoquent alors une scission au sein de l'Union régionale des caisses populaires de Montréal et la création d'une nouvelle fédération (appelée Fédération de Montréal des caisses Desjardins), qui regroupe neuf caisses dissidentes.

Logée dans le seul gratte-ciel de la ville de Québec, l'édifice Price, la fédération provinciale, créée en 1932, ne tarde pas à jouer un rôle important dans la direction du Mouvement des caisses populaires. Mais la place qu'elle occupe n'est pas sans soulever des controverses parmi les dirigeants des unions régionales. Si le contrat qui a été signé avec le gouvernement prévoit que la fédération est responsable de l'inspection et de l'approbation des placements, les dirigeants d'unions régionales n'interprètent pas tous de la même façon la nature réelle de cette responsabilité.

Dès les premiers mois d'activité de la fédération, des tensions surgissent. Deux conceptions du rôle de la fédération s'affrontent : l'une, centralisatrice, préconise de déléguer une partie des pouvoirs des unions régionales à la fédération pour qu'elle soit véritablement en mesure d'unir et de coordonner le mouvement des caisses ; l'autre, autonomiste, veut que la fédération se contente d'un rôle de supervision générale et qu'elle agisse surtout par l'intermédiaire des unions régionales. La première est défendue principalement par l'Union régionale de Québec et la seconde par les unions régionales de Trois-Rivières, de Montréal et de Gaspé.

Déchirement sur fond religieux

Les divergences idéologiques sont également à l'origine de conflits très sérieux entre les représentants des unions régionales qui siègent au conseil d'administration de la fédération provinciale. Ces divergences sont facilement palpables lorsqu'ils discutent de la question de l'affiliation de leur fédération au Conseil supérieur de la coopération. Contrairement à leurs collègues des autres régions, les représentants de l'Union régionale de Montréal, Wilfrid Guérin et Eugène Poirier, qui préside la fédération, s'opposent à

De 1946 à 1960, le Québec reçoit plus de 400 000 immigrants dont la plupart s'établissent à Montréal. On aperçoit ici l'intérieur d'une épicerie italienne sur la rue Dante à Montréal.
Bibliothèque nationale du Québec, fonds Félix Barrière, nº 2697.

cette affiliation. Ils refusent que la fédération adhère au Conseil de la coopération parce qu'ils jugent ses visées trop centralisatrices et que l'organisme est non confessionnel et ouvert aux influences anglophones et protestantes.

Le *Manifeste du Conseil supérieur de la coopération*, publié en 1940, énonce en effet, parmi les principes essentiels devant guider les coopératives, la « non-confessionnalité [et la] neutralité politique et ethnique ». Or, depuis 1920, les caisses populaires affichent officiellement un caractère confessionnel, et Wilfrid Guérin en est en grande partie responsable. Selon son propre aveu, peu de temps après le décès d'Alphonse Desjardins, il se serait rendu chez l'imprimeur Laflamme à Québec, en compagnie du directeur des œuvres sociales du diocèse de Montréal, l'abbé Edmour Hébert, pour commander une réimpression des règlements des caisses comportant un article sur la confessionnalité. Et cela, sans avoir été mandaté.

Émule des Jésuites, formé dans les mouvements d'action catholique, Wilfrid Guérin est reconnu comme le maître à penser des dirigeants de l'Union régionale de Montréal. De son point de vue, la confessionnalité des caisses populaires est un trait fondamental de leur identité ; elle ne peut être négociée ni faire l'objet d'accommodements. La coopération a été développée au Québec pour servir les intérêts des Canadiens français, pour améliorer leur situation économique et sauvegarder leur identité culturelle, et cette sauvegarde doit nécessairement s'appuyer sur une affirmation sans équivoque du

Eugène Poirier: protéger la couleur catholique et canadienne-française

Deuxième président de la Fédération de Québec des unions régionales de caisses populaires Desjardins, en poste de 1936 à 1944, le notaire Eugène Poirier (1891-1960) a été administrateur de l'Union régionale de Montréal à partir de 1926 avant d'en être le président de 1930 à 1945. Leader, avec Wilfrid Guérin, d'un mouvement de contestation des politiques de la Fédération en matière, notamment, de confessionnalité et de relations avec les coopérateurs du Canada anglais, il démissionne de son poste de président en 1944. En 1945, il devient le premier président de la Fédération de Montréal des caisses Desjardins, créée à la suite d'une scission au sein de l'Union régionale de Montréal.

Eugène Poirier
CCPEDQ.

caractère confessionnel et ethnique des coopératives auxquelles ils adhèrent.

Voilà pourquoi la fédération n'était pas devenue membre du conseil de la coopération fondé en 1939. La question est débattue en 1941, mais les objections de Guérin et de Poirier amènent le conseil d'administration de la fédération à renoncer à cette idée. Lors d'un second débat, le 23 avril 1942, les administrateurs décident cette fois d'approuver l'affiliation au Conseil supérieur de la coopération, malgré l'opposition de Poirier et de Guérin. Face à la réaction virulente de l'Union régionale de Montréal, ils reviendront sur leur décision et choisiront de remettre indéfiniment la question.

Participants au congrès national des caisses populaires et des *credit unions* du Canada, tenu à Lévis les 11 et 12 septembre 1943. Photo Moderne enr. CCPEDQ.

La question des *credit unions*

L'amorce de relations entre la fédération et les coopérateurs du Canada anglais vient attiser le conflit en 1943. Eugène Poirier et Wilfrid Guérin désapprouvent vivement ces relations, d'autant plus qu'il est question de mettre sur pied une association nationale qui permettrait aux coopératives de toutes les provinces canadiennes de s'unir pour défendre leurs intérêts communs auprès des gouvernements. Poirier et Guérin estiment que la participation des caisses populaires à une telle association pancanadienne, où elles se retrouveraient en position minoritaire, ne pourrait que compromettre leur autonomie. Pour sa part, le gérant de la fédération, Cyrille Vaillancourt, fait valoir qu'il n'est nullement question d'aliéner l'autonomie des caisses, mais de profiter des avantages d'une concertation avec les autres provinces sur des questions d'intérêt commun.

La situation se détériore irrémédiablement lorsque Cyrille Vaillancourt prend l'initiative d'organiser à Lévis, sous les auspices de la Caisse populaire de Lévis et de la Caisse centrale Desjardins de Lévis, un congrès des caisses populaires et des *credit unions* du Canada anglais. Ce congrès, qui se déroule au Collège de Lévis les 11 et 12 septembre 1943, attire une centaine de participants venus de toutes les provinces canadiennes, incluant des représentants de toutes les unions régionales du Québec, à l'exception de celle de Montréal. Il aboutit à la formation d'un comité consultatif national, composé d'un délégué de chaque province, chargé de donner suite à des décisions concernant la révision de la loi de l'impôt et de la loi des banques, et de planifier l'agenda d'un prochain congrès. Contrairement à une information publiée dans *Le Devoir*, ce comité n'aurait pas eu le mandat de préparer un projet d'association nationale. L'idée aurait même été rejetée à l'unanimité par les unions régionales des caisses du Québec.

L'Union régionale de Montréal, qui considère la tenue de ce congrès comme une offense irréparable, exigera la répudiation de toutes les résolutions adoptées par ses participants, tout en brandissant la menace d'une rupture des liens qui l'unissent à la fédération. Devant le refus des unions régionales de se plier à cette condition, Eugène Poirier démissionne de son poste de président de la fédération, le 9 décembre. Les dés sont jetés et les concessions tardives ne pourront empêcher l'inévitable de se produire.

Les rouges et les bleus

Les rivalités politiques qui se jouent en toile de fond entre les principaux protagonistes viennent miner les chances de rapprochement. Cyrille Vaillancourt entretient des liens très étroits avec le Parti libéral et son chef Adélard Godbout, qui est premier ministre du Québec depuis 1940. C'est ainsi qu'il accède au Conseil législatif en 1943, puis au Sénat en 1944, en plus d'être nommé conseiller économique à la Commission fédérale des prix et du commerce en temps de guerre. De son côté, Eugène Poirier est un fidèle partisan de l'Union nationale, très proche de Maurice Duplessis qui l'avait nommé président de l'Office du crédit agricole en 1936. Poirier est à ce point engagé dans le parti qu'il décide de se porter candidat à l'élection du mois d'août 1944. Des témoins de l'époque prétendent que Maurice Duplessis, qui voit en Cyrille Vaillancourt un successeur possible d'Adélard Godbout, aimerait bien le voir quitter la direction générale de la fédération des caisses. Chose certaine, le journal *Le Temps*, organe de l'Union nationale, prend ouvertement parti pour Eugène Poirier et tente de discréditer Cyrille Vaillancourt.

Le sénateur Cyrille Vaillancourt à l'estrade d'honneur, lors d'un défilé militaire. Photo Moderne enr. CCPEDQ.

La scission

Tandis que les relations continuent de s'envenimer, les dirigeants de l'Union régionale de Montréal sont de plus en plus nombreux à souhaiter que leur union coupe les liens avec la fédération. Une résolution en ce sens rallie d'ailleurs la majorité des membres du conseil d'administration, le 9 octobre 1945.

À force de négociations et de stratégies, on réussira à éviter cette rupture, sans toutefois empêcher les dirigeants les plus réfractaires aux politiques de la fédération provinciale de quitter l'Union régionale de Montréal et de mettre sur pied une fédération de caisses dissidentes. Neuf caisses se regrouperont au sein de la Fédération de Montréal des caisses Desjardins, fondée le 13 novembre 1945 et libre de tout lien avec la fédération de Lévis. La « petite fédération », comme certains l'appelleront, réintégrera les rangs du Mouvement Desjardins en 1982.

Coûteuse distraction

Un bon jour, en balançant les livres de la caisse, mon père, alors gérant, constate qu'il manque à l'encaisse un montant de 83 dollars et quelques cents. Cherchant la source de l'erreur, il découvre que le montant correspond, au sou près, à une partie d'un gros « chèque de sirop » qu'il a encaissé pour un membre cultivateur de la paroisse, quelques jours auparavant ; ce chèque s'élevait à 483 dollars et les quelques cents manquants. « Sans doute, se dit mon père, j'ai dû lui remettre deux fois le montant excédant 400 dollars », distrait par l'obligation de devoir extraire les gros billets de 100 d'un compartiment spécial du coffre-fort (c'était tout de même une petite fortune à l'époque). Il est dès lors convaincu que l'erreur s'arrangera bientôt puisqu'il ne doute aucunement de la bonne foi du membre et qu'on ne peut tout de même pas se trouver plus riche de 83 $ sans s'en apercevoir!

Mais le temps file et le monsieur, qui passe de temps à autre pour encaisser ses « chèques de lait », ne souffle mot de l'histoire. La fin d'année venue, mon père doit combler la somme manquante, ce qui lui rafle pas moins de huit mois de salaire brut.

Au printemps suivant, le matin du dimanche des Rameaux, se trouvant agenouillé à la sacristie près du confessionnal pour le « grand ménage annuel » de son âme, mon père voit soudain arriver près de lui le cultivateur en question. Celui-ci, devant montrer son repentir pour mériter l'absolution du confesseur, avoue à mon père avoir bel et bien constaté l'erreur ; un peu coincé dans ses affaires, il a utilisé l'argent pour des urgences tout en étant résolu à le rendre dès que ce serait possible. Il extrait alors de son porte-monnaie 11 $ qu'il remet à mon père, l'assurant qu'il lui remboursera le solde bientôt. Mais la promesse n'aura jamais de suite. Peut-être l'intention a-t-elle été suffisante pour lui obtenir le pardon?

Je n'ai appris cette histoire que bien des années après. J'ai su, également, que, par fierté, mon père n'avait jamais réclamé son dû auprès du cultivateur concerné. « C'est finalement payer pas trop cher pour savoir à qui l'on a affaire », en a-t-il conclu.

Guy Cameron

* *Guy Cameron est entré au service de la Confédération en 1977 où il occupe actuellement le poste de conseiller en développement coopératif. Observateur attentif et fin chroniqueur, il nous livre quelques souvenirs d'enfance, alors que, dans son village de Stornoway, près de Lac-Mégantic, vie familiale et vie coopérative formaient un tout indissociable.*

1945-1971

Affirmation

Au fond, n'est-ce pas
ce que nous demandent
les jeunes ? Qu'on leur
montre un système qui
repose sur l'humain,
assure la promotion
de l'homme et donne
des raisons d'espérer
en un monde meilleur.
Alfred Rouleau

Président
du Mouvement
des caisses Desjardins
de 1972 à 1981.

CHAPITRE 7

De nouveaux horizons

Alphonse Desjardins voyait la caisse populaire comme le «prélude» à un mouvement économique appelé à s'étendre à plusieurs secteurs d'activité. À partir de 1940, le succès des caisses populaires crée des conditions propices à la conception de projets qui s'accordent à sa vision. Grâce à la prospérité économique engendrée par la Seconde Guerre mondiale, les caisses disposent de fonds de réserve de plus en plus importants qui les rendent aptes, collectivement, à faire des investissements.

L'édifice Laurentien, avenue Bégin, à Lévis. Cet édifice abrite successivement la Caisse populaire de Lévis de 1916 à 1919, le siège social de la compagnie d'assurance La Laurentienne de 1939 à 1948, ainsi que celui de l'Assurance-vie Desjardins de 1949 à 1950. Archives de l'Assurance vie Desjardins-Laurentienne.

Le premier domaine auquel elles s'intéressent est celui de l'assurance. Coup sur coup, en 1944 et 1948, elles mettent sur pied deux sociétés mutuelles d'assurance : la première vouée à l'assurance générale et la seconde à l'assurance vie. Alphonse Desjardins n'aurait sans doute pas désavoué pareil choix, lui qui s'était tant intéressé au domaine de l'assurance. En effet, avant de découvrir l'existence de la coopération d'épargne et de crédit, alors qu'il recherchait des moyens de combattre l'insécurité financière des classes populaires, n'avait-il pas consacré de nombreuses heures de lecture au sujet de l'assurance vie ? Dans certains de ses écrits, il accordait également beaucoup d'attention à l'assurance incendie qu'il plaçait au premier rang des moyens pour restaurer l'agriculture. «Répartir sur le grand nombre le risque de quelques-uns, écrivait-il en 1906, c'est contribuer à rendre plus stables et plus certaines les opérations agricoles, et à sauver de la ruine bien des victimes ! Il y a là même un devoir social, un procédé de solidarité de la plus haute importance pour la prospérité nationale[1]. »

1. Alphonse Desjardins, «Mémoire sur l'organisation de l'agriculture dans la Province de Québec», dans Cyrille Vaillancourt et Albert Faucher, *Alphonse Desjardins, pionnier de la coopération d'épargne et de crédit en Amérique*, Lévis, Le Quotidien ltée, 1950, p. 187.

Cortège funèbre à Bienville en 1950. (Lise Turgeon). Gilbert Samson, *Bienville, 1896-1996, Cent ans d'histoire*, p. 104.

ASSURANCE : LES FRANCOPHONES CONTRÔLENT MOINS DE 15 % DU MARCHÉ QUÉBÉCOIS

En mettant sur pied des sociétés d'assurance, les dirigeants des caisses populaires posent des gestes très attendus. Au cours des années 1930 et 1940, le développement du secteur de l'assurance est l'un des éléments clés de la stratégie des nationalistes québécois pour permettre aux Canadiens français de reprendre en main leur économie. Comme les banques et les caisses populaires, les compagnies d'assurance amassent d'importants capitaux qui peuvent ensuite servir au développement économique. Or, ce secteur échappe presque complètement aux Canadiens français, car les entreprises les plus influentes sont britanniques, américaines ou canadiennes-anglaises. En 1945, la part de marché des assureurs à propriété ou à direction francophone n'atteint pas 15 %. Mais la situation est en train de changer.

Depuis une dizaine d'années, des organisations nationalistes comme l'Ordre de Jacques-Cartier militent en faveur d'entreprises d'assurance canadiennes-françaises et incitent la population à les encourager. Cette campagne produit des résultats très encourageants. On assiste en fait à une véritable vague de fondations de sociétés d'assurance. Après la Mutuelle-vie de l'Union catholique des cultivateurs créée en 1936, de nombreuses autres feront leur apparition : La Laurentienne en 1938, la Mutuelle des employés civils en 1941, La Solidarité en 1942, Les Prévoyants du Canada (Vie) en 1942, les Services de santé du Québec (SSQ), la Société mutuelle d'assurance générale de l'Union catholique des cultivateurs en 1944, l'Union canadienne en 1945, la Compagnie d'assurance du Club automobile de Québec en 1948, auxquelles s'ajoutent les deux sociétés d'assurance du Mouvement Desjardins.

L'ÈRE DES MUTUELLES

L'idée d'associer les caisses populaires à la création de sociétés d'assurance commence à germer à la suite du congrès du Conseil supérieur de la coopération de 1942, tenu sous le thème de l'assurance mutuelle. Plusieurs conférenciers mettent alors en relief les lacunes dans l'organisation de l'assurance au Québec et la faible part de marché détenue par les entreprises canadiennes-françaises. Peu de temps après, des gérants de caisses de la ville de Québec demandent au directeur général de la fédération des caisses populaires, Cyrille Vaillancourt, d'examiner la question.

Dès la fin de 1942, le projet se met en branle. Après avoir obtenu l'appui des administrateurs de la fédération et celui du gouvernement, qui se montre disposé à adopter une loi spéciale pour accorder aux caisses l'autorisation d'investir des fonds dans une société mutuelle, Cyrille Vaillancourt confie la rédaction d'un projet de loi à l'avocat Valmore de Billy, président de la Caisse populaire de Lévis et spécialiste du droit de l'assurance.

Laurent Létourneau: le souci de consolider

Laurent Létourneau (1880-1955) a été président de la Fédération de Québec des unions régionales de caisses populaires Desjardins de 1944 à 1955. Ce comptable, diplômé de l'Académie commerciale de Québec et *fellow* de la Canadian Bankers' Association, avait d'abord été gérant d'une succursale de la Banque Nationale avant d'accepter, en 1924, le poste de secrétaire-gérant de l'Union régionale des caisses populaires des Trois-Rivières, qu'il occupera jusqu'en 1955.

Soucieux de consolider le réseau des caisses, qui avait connu un développement phénoménal durant la Seconde Guerre mondiale, il s'attachera à promouvoir le renforcement des pouvoirs des unions régionales et de la fédération provinciale. Laurent Létourneau sera aussi le président-fondateur de la Société d'assurance des caisses populaires, première société filiale des caisses populaires créée en 1944.

Laurent Létourneau.
Photo: Harvey Rivard, CCPEDQ.

Compte tenu des besoins de protection des caisses populaires, les dirigeants de la fédération optent pour une société d'assurance de dommages, quitte à organiser plus tard une société d'assurance vie. Dans l'immédiat, on estime qu'un société d'assurance de dommages rendrait de précieux services aux caisses populaires. Il leur serait d'abord plus facile de prêter sur hypothèque si les emprunteurs avaient la possibilité d'assurer convenablement et à bon prix les maisons ou les bâtiments qu'ils donnent en garantie. Une société d'assurance de dommages comblerait aussi les besoins des caisses elles-mêmes; elle pourrait d'ailleurs regrouper dans un seul contrat toutes les protections qu'elles doivent prendre contre l'incendie, le vol à main armée, le vol avec effraction et les défalcations.

« Il faut organiser notre économie dans tous les domaines »

La Loi constituant en corporation la Société d'assurance des Caisses Populaires est adoptée par l'Assemblée législative le 10 mai et sanctionnée le 3 juin 1944. Elle autorise les caisses à lancer une société mutuelle d'assurances de dommages et à investir jusqu'à 20 % de leur avoir propre dans son fonds de réserve. Les membres de cette société mutuelle seront les assurés ainsi que les caisses populaires qui auront souscrit au fonds de réserve.

Au début de 1945, Joseph-Ovila Roby et Albert Côté, à qui l'on a confié les postes de gérant général et de surintendant d'agences, prennent en charge le travail d'organisation. La grande priorité est de recueillir auprès des caisses populaires les 300 000 $ nécessaires pour constituer le fonds de réserve. Plusieurs caisses s'empressent de souscrire, mais d'autres se laissent prier. Cyrille Vaillancourt s'adresse à elles en mai pour les convaincre de l'importance de leur contribution: « Pour atteindre notre indépendance économique, écrit-il, il nous faut plus que prêter à nos sociétaires sur hypothèque ou sur reconnaissance de dettes; il faut organiser notre économie dans tous ses domaines[2] ». Le message est entendu et l'objectif est atteint. À la fin de 1945, 493 caisses auront souscrit 300 832 $.

La Société d'assurance des caisses populaires (SACP) connaît des débuts très prometteurs. Son lien avec le réseau des caisses populaires lui donne accès à un très large bassin de

2. Archives de la Fédération des caisses populaires Desjardins du Bas-Saint-Laurent, documents d'archives non classés, Cyrille Vaillancourt aux gérants des caisses populaires, 18 mai 1945.

, et la collaboration des directeurs de caisses, qui incitent leurs emprunteurs à assurer leurs biens chez elle, lui est très profitable. Le 31 décembre 1945, au terme de huit mois d'activités, elle détient au-delà de 7000 contrats d'assurance, et un personnel de 17 employés travaille dans ses locaux de la rue Bégin, à Lévis.

En plus de l'assurance contre l'incendie, la Société offre aux caisses populaires, dès 1946, une police de garantie globale qui couvre une variété de risques reliés aux vols et à la fraude. Au cours des années 1950, la Société maintient un rythme de croissance rapide en misant sur l'élargissement constant de la gamme de ses services. Seule ombre au tableau : la marge bénéficiaire est souvent très mince et, certaines années, les résultats montrent même un déficit. Les dirigeants pointent du doigt la concurrence très vive dans ce marché et les pertes subies à cause de mesures de sécurité déficientes qui facilitent trop souvent les vols.

Les maisons de bois étaient souvent la proie des flammes. Incendie à Sillery. Collection Donald Dion.

L'article litigieux

La SACP n'en reste pas moins un succès qui illustre bien ce que les caisses populaires peuvent réaliser collectivement. Et c'est pourquoi, dès 1948, une mutuelle d'assurance vie voit le jour grâce à la participation financière des caisses populaires. Ses promoteurs sont les mêmes que ceux qui avaient fondé la SACP. Encore une fois, les Côté, de Billy, Vaillancourt sont à l'œuvre avec la collaboration du surintendant des assurances Georges Lafrance.

L'entrée en scène de l'Assurance-vie Desjardins[3] ne passe pas inaperçue. En effet, le projet de loi préparé par Valmore de Billy et approuvé par les unions régionales provoque de vives contestations de la part de représentants du milieu de l'assurance ; il n'est finalement adopté qu'après avoir subi un important amendement. Dans le projet initial, l'article 14, qui aurait autorisé la vente des contrats d'assurance de l'AVD au comptoir même des caisses populaires sans l'intermédiaire des agents d'assurances, provoque un véritable tollé chez les assureurs. L'heure du décloisonnement des institutions financières n'a pas encore sonné et il est, semble-t-il, beaucoup trop tôt pour faire

3. Marc Vallières avec la collaboration de Christian Laville et de Guy Bélanger, *Histoire de L'Assurance-vie Desjardins, 1948-1990*. Document inédit, [Assurance vie Desjardins-Laurentienne], mars 1996, 417 p.

accepter des changements aussi substantiels dans la distribution des produits financiers.

Adopté par l'assemblée législative le 18 février 1948, le projet est très mal accueilli au conseil législatif où certains membres appuient sans réserve le mouvement de protestation lancé par les agents et les compagnies d'assurance. C'est ainsi que, le 11 mars 1948, le Conseil législatif vote majoritairement l'adoption d'un projet de loi amendé, dans lequel l'article litigieux ne figure plus. La loi autorise donc la création d'une compagnie mutuelle dont les règles d'organisation seront assez semblables à celles qui régissent la SACP. Avant d'obtenir son permis d'exploitation, la compagnie devra se constituer un fonds de réserve de 100 000 $ dans lequel les caisses populaires sont autorisées à investir jusqu'à 15 % de leur avoir propre.

Alfred Rouleau entre en scène

Cyrille Vaillancourt, à qui est confiée la présidence de la compagnie, prend tout son temps pour recruter un directeur général qui possédera à la fois « la compétence requise dans le domaine de l'assurance [et] l'esprit des caisses populaires[4] ». Le candidat retenu correspond parfaitement au profil recherché. Alfred Rouleau était gérant d'agence dans un bureau régional de la compagnie d'assurance La Laurentienne et venait tout juste d'accéder à la présidence de la Fédération des mouvements de jeunesse du Québec. Militant accompli et organisateur chevronné, il ne manquera pas de s'affirmer comme un fervent coopérateur. Entré en fonction le 3 janvier 1949, il met en place toute l'organisation nécessaire pour lancer l'entreprise et mène auprès des caisses populaires une campagne de souscription fructueuse. En 6 mois seulement, 350 000 $ auront été recueillis pour constituer le fonds de réserve.

Alfred Rouleau, directeur général de l'Assurance-vie Desjardins en 1959. Archives de l'Assurance vie Desjardins-Laurentienne, 59324-31.

L'Assurance-vie Desjardins commence ses activités le 1er septembre 1949 dans un petit édifice de la rue Bégin, à Lévis, qui avait longtemps servi de siège social à La Laurentienne. Sa relation privilégiée avec les caisses populaires, le dynamisme de sa direction et de son équipe de représentants, la qualité et le caractère novateur des régimes d'assurance qu'elle propose à ses assurés sont autant de facteurs qui lui assurent un essor rapide. Aux assurances individuelles la compagnie ajoute, en 1952, des assurances collectives (assurance de groupe et rente collective), offertes d'abord aux employés du mouvement des caisses populaires, puis à ceux d'autres entreprises à partir de 1955. L'assurance familiale lancée en 1953 (un régime dans lequel la protection varie en fonction des responsabilités familiales et dont la prime reste fixe), l'assurance prêt en 1954 et l'assurance accident, à l'intention des écoliers en 1958, sont des produits très appréciés qui traduisent les préoccupations sociales de l'AVD et font sa renommée.

4. Cyrille Vaillancourt, « Le Mouvement Desjardins – IX », *La Revue Desjardins*, 33, 10 (octobre 1967), p. 155.

Construction de l'Édifice Desjardins, avenue Bégin à Lévis. Inauguré en 1950, à l'occasion du cinquantième anniversaire de la Caisse populaire de Lévis, il logera la Fédération des caisses Desjardins, l'Union régionale des caisses populaires de Québec, la Caisse centrale Desjardins de Lévis, la Caisse populaire de Lévis, la Société d'assurance des caisses populaires ainsi que l'Assurance-vie Desjardins. CCPEDQ.

L'AVD connaît une croissance financière remarquable. Dès 1953, elle commence à réaliser des bénéfices qui lui permettent d'éponger les déficits des premières années d'activité, d'accorder des ristournes appréciables à ses assurés et de payer des intérêts sur le capital souscrit au fonds de réserve par les caisses populaires. L'entreprise se taille rapidement une position enviable dans le marché québécois de l'assurance vie. En 1961, avec ses 6,8 millions de primes nettes perçues, elle figure au 14e rang des entreprises d'assurance vie en activité au Québec. Parmi, les assureurs canadiens-français, seule L'Industrielle, fondée à Québec en 1906, la devance encore.

JOINDRE LES DEUX BOUTS

L'AVD attache beaucoup d'importance à son rôle social, et le soutien qu'elle donne à des causes comme l'éducation populaire, la promotion de la langue et de la culture françaises, la protection des intérêts économiques des Canadiens français est souvent remarqué. Elle participe entre autres au financement de recherches sociologiques et commandite des émissions de télévision culturelles ou éducatives comme *Joindre les deux bouts*, qui est consacrée à la gestion du budget familial. Diffusée à partir de l'automne 1958, cette émission sera suivie chaque semaine par plus d'un million de téléspectateurs.

À l'aube de la Révolution tranquille, les succès que connaissent la Société d'assurance des caisses populaires et l'Assurance-vie Desjardins illustrent parfaitement le potentiel que recèle le Mouvement des caisses populaires en matière de développement économique et social. Alphonse Desjardins l'avait pressenti. Les Québécois le découvrent avec plaisir.

Enregistrement, vers 1959, d'une émission de la série *Joindre les deux bouts*, commanditée par les caisses populaires et l'Assurance-vie Desjardins.
CCPEDQ.

Pendant qu'il en est encore temps, nous avons la responsabilité d'inculquer à nos enfants une conception de la vie mieux harmonisée avec la nature, mieux synchronisée avec l'heure et le rythme d'une société de conservation.

Alfred Rouleau

CHAPITRE 8

Penser avant de dépenser

Les années d'après-guerre apportent des changements sociaux qui ont de vives répercussions dans la vie des caisses populaires. Les valeurs et les comportements économiques qui apparaissent avec l'avènement de la société de consommation vont absolument à l'encontre des notions d'épargne et de crédit productif que les caisses ont toujours enseignées. Pour suivre l'évolution des besoins de leurs membres, les caisses populaires seront forcées de s'adapter à de nouvelles normes et de repenser leur conception traditionnelle de l'épargne et du crédit. Après avoir résisté au changement, elles consentiront à libéraliser leur politique de crédit et à s'engager dans le crédit à la consommation, mais sans pour autant renoncer à leur mission d'éducation économique qui prendra les couleurs de l'éducation à la consommation et de l'économie familiale.

L'AVÈNEMENT DE LA SOCIÉTÉ DE CONSOMMATION

Au lendemain de la Seconde Guerre mondiale, toutes les conditions sont réunies pour que le Québec fasse son entrée dans la société de consommation : la production de masse se développe à un rythme rapide, la prospérité économique entraîne une hausse des revenus et une amélioration du niveau de vie de la population, et une publicité de plus en plus envahissante diffusée dans les médias s'emploie à séduire le consommateur et à lui proposer des modes de vie où la consommation tient une large place.

De 1946 à 1950, les dépenses personnelles pour les biens de consommation durables au Canada passent de 590 millions à 1,3 milliard de dollars. Les achats d'automobiles, de réfrigérateurs et de lessiveuses électriques sont à l'origine de cette hausse. La liste des besoins jugés nécessaires s'allonge de jour en jour.

Au cours des années 1950, le Québec entre de plain-pied dans la société de consommation.
Ville de Québec, Division des archives, nég. 6865.

Le rouleau d'Ange-Albert

Il y a, dans la paroisse, une famille nombreuse dont presque tous les membres, au moins dans la trentaine, sont apparemment des célibataires endurcis. Quelques-uns vivent ensemble sur une ferme ; au moins quatre des garçons ont leur propre exploitation agricole.

Tous ont un train de vie très modeste, totalement à l'abri des excentricités des courants de consommation naissants. Les filles s'habillent et se coiffent comme leur mère et leur grand-mère. Quant aux gars, on les voit rarement ailleurs qu'à l'église ; tous, sauf un, sont de bons travaillants, même s'ils semblent n'avoir jamais été atteints par les méthodes scientifiques qui commencent à se manifester en agriculture. On les soupçonne généralement d'avoir pas mal d'argent, car ils paient toujours comptant et ne semblent jamais pris de court.

Ange-Albert est le plus petit des hommes de la famille, le plus futé et le plus sympathique, avec ses yeux malicieux et son sourire en demi-lune, toujours fendu jusqu'aux oreilles. Plus sociable et apparemment plus ouvert à la modernité que le reste de la famille, il s'est procuré un vieux tracteur, déjà si mal en point qu'il doit monter à reculons la grande côte qui le sépare du village, où, périodiquement, il passe prendre des marchandises.

Quand mon père, gérant de la caisse, le taquine un peu pour l'inviter à y déposer son argent, il esquive toujours, prétextant qu'il a à peine de quoi manger, nourrir ses bêtes et payer son tabac à chiquer, dont il fait d'ailleurs un ample usage qui lui donne une haleine à faire courber les chardons.

Un soir, pourtant, Ange-Albert se présente à la caisse et, assuré qu'il n'y a personne d'autre que mon père, extrait de sa poche une liasse fétide qu'il dépose sur le comptoir. Il y a là plus de 3000 $, que l'ineffable Ange-Albert traîne avec son tabac à chiquer depuis des années. Pauvres George VI et Élisabeth II : ils ont dû en prendre pour leur rhume ! En tout cas, ils ont des couleurs de très mauvaise santé.

Toisant assez justement le personnage, mon père se doute bien que le geste du déposant a dû lui coûter. Il met donc la somme bien à l'abri dans du papier ciré, dans un recoin du coffre-fort. Malgré les précautions, le dépôt embaumera progressivement le salon où mon père a installé son bureau de la « caisse à la maison ». Quelques semaines plus tard, Ange-Albert demande à retirer son argent, prétextant qu'il songe à s'acheter un nouveau tracteur. Sans hésitation, mon père va chercher dans le coffre la liasse aromatique et la présente à Ange-Albert, lui offrant toutefois d'en conserver une partie pour garder son compte ouvert. Quand il constate que son argent a bel et bien été conservé, Ange-Albert décide soudain qu'il n'en a plus besoin et qu'il peut le laisser à la caisse. Mon père prend cependant la précaution de lui dire qu'il ne pourra peut-être pas toujours garder exactement les mêmes billets, parce qu'il devra s'assurer qu'ils ne vieillissent pas trop et qu'ils restent valides. Ange-Albert se plie avec hésitation à l'inévitable. Après avoir fait l'expérience de quelques retraits et de quelques chèques, il reviendra ajouter à son compte plusieurs dépôts substantiels, dont les fumets particuliers en diront long sur la diversité des cachettes où ils avaient séjourné.

Le bouquet d'arômes incitera mon père à diriger rapidement vers la Banque du Canada, pour remplacement, les précieuses économies du souriant Ange-Albert. Celui-ci n'aura d'ailleurs jamais besoin d'emprunter à la caisse ni d'en retirer ses économies pour remplacer son tracteur des Arpents verts. Peut-être avait-il gardé quelques réserves odorantes pour parfumer également les bureaux de la coopérative agricole?

Guy Cameron

Le problème de l'endettement

Cuisinière électrique, réfrigérateur et automobile comptent parmi les biens de consommation durables les plus populaires. Au début des années 1960, «Maman Plouffe» vante les mérites du «poêle» Bélanger, fabriqué à Montmagny.
ANQ, Québec, P547,S2,SS7,D5 (CPC-A-1-a,b).

Mais l'acquisition de biens de consommation se fait souvent en recourant au crédit. Les dettes de consommation des Canadiens augmentent en flèche au cours des années 1950, et les remboursements absorbent une portion croissante du revenu personnel disponible. Les ventes à tempérament, financées par les maisons de commerce et les sociétés de financement à un taux d'intérêt de 9%, constituent la principale forme de crédit. Mais une bonne partie des consommateurs contractent aussi des emprunts auprès de sociétés de crédit appelées à l'époque «compagnies de finance»; celles-ci peuvent légalement exiger de 12% à 24% d'intérêt par année, alors que les taux usuels sont de l'ordre de 6%. Au cours des années 1950, le nombre de familles à faible revenu, aux prises avec de graves problèmes d'endettement, ne cesse d'augmenter.

Un couple en train de faire son budget.
CCPEDQ.

Abel Marion : l'homme de la terre

Agriculteur et gérant de la Caisse populaire de Sainte-Edwidge, Abel Marion (1885-1970) a été fondateur et premier président de l'Union régionale des caisses populaires de Sherbrooke de 1934 à 1959. En 1956, il devient le quatrième président de la Fédération provinciale des caisses, fonction qu'il assume jusqu'en 1959.

Homme de la terre, Abel Marion a toujours été très actif dans les organisations agricoles tant coopératives que syndicales. Il a d'ailleurs laissé sa marque à l'Union catholique des cultivateurs, où il a occupé la présidence pendant près de vingt ans (1936-1954). Sa présence à la direction du Mouvement Desjardins était l'illustration parfaite de la complicité entre les caisses populaires et le monde rural.

Abel Marion.
CCPEDQ.

La fidélité aux traditions

Pendant que la société change et que la population adopte de nouveaux comportements en matière de consommation, d'épargne et de crédit, les caisses populaires restent résolument dans le sillon des traditions. Comme l'écrit Cyrille Vaillancourt en 1956, elles sont « fières de maintenir fidèlement, depuis au-delà de cinquante-cinq ans la pensée qui les a fait naître[1] ». Et cette pensée, qui privilégie la prévoyance et l'épargne, condamne le crédit à la consommation. Par souci de contribuer à l'amélioration de la condition économique de leurs membres, les caisses veulent avant tout leur apprendre à épargner et à utiliser sainement le crédit. La caisse ne prête théoriquement qu'à des fins productives, avec l'intention de rendre véritablement service à l'emprunteur. Elle accorde des prêts pour des consolidations de dettes, l'acquisition ou la restauration d'une maison, l'achat de biens d'utilité professionnelle (machinerie agricole, engrais, machine à écrire, etc.) ou de biens de consommation durables et réellement nécessaires ; elle refuse cependant de consentir des prêts pour tout ce qui peut être considéré comme superflu ou extravagant, comme une automobile (si elle n'est pas nécessaire au travail), un réfrigérateur ou une lessiveuse électrique.

Les caisses populaires préfèrent mettre l'accent sur le prêt hypothécaire qui absorbe à l'époque plus de 40 % de leur actif. Elles se font une fierté d'aider leurs membres à accéder à la propriété et prennent une part très active à la vague de construction résidentielle qui déferle sur le Québec au cours des années 1950.

Les prêts personnels, consentis sur reconnaissance de dette, ne comptent que pour environ 10 % de leur actif, et la plus grande partie des sommes est destinée aux cultivateurs qui font appel à leur caisse populaire pour financer les achats d'équipement et de machinerie et les travaux d'amélioration des fermes.

« Les esprits chercheurs qui veulent réorienter les caisses »

Dans certains milieux, les critiques fusent à l'endroit de la politique de crédit des caisses populaires. Des professeurs d'université, des syndicalistes, des journalistes contestent l'utilisation qu'elles font des épargnes qui leur sont confiées et leur reprochent de jeter les consommateurs dans les rets des « compagnies de finance ». On les rend en partie responsables de cette renaissance de l'usure dont sont victimes un nombre grandissant de familles à faible revenu.

Des gérants de caisses endossent ces critiques et souhaitent plus d'ouverture. D'ailleurs, ce sont eux qui lanceront le débat sur la politique de crédit des caisses. À partir de 1951, les

1. C. Vaillancourt, « Le rôle des caisses populaires », *La Revue Desjardins*, XXII, 6-7 (juin-juillet 1956), p. 103.

Dans les années 1950 et 1960, le syndicaliste Jean Marchand exhorte les caisses à s'engager dans le prêt à la consommation afin de faire échec aux « compagnies de finance ».
(Studio O. Allard inc., Montréal). CCPEDQ.

gérants des plus grosses caisses de la province organisent des congrès annuels, qu'on appelle « congrès des caisses millionnaires », et qui serviront de tribune aux opposants à la politique de crédit. Dès 1952, des gérants remettent en question l'approche traditionnelle, au risque de s'attirer les foudres du sénateur Vaillancourt, dont l'intransigeance sur cette question est connue de tous. En 1955, ils font adopter une résolution en faveur de l'accroissement du volume des prêts personnels. Mais c'est en 1956 que le débat s'engage véritablement, lorsque les organisateurs du congrès invitent le professeur d'économie André Raynauld et le syndicaliste Jean Marchand, secrétaire général de la Confédération des travailleurs catholiques du Canada (CTCC), à exprimer leurs critiques. Tous deux condamnent vertement l'attitude des caisses et réclament un changement de cap.

Très attachée au credo de l'épargne et du crédit productif et peu disposée à reconnaître la légitimité des besoins de crédit reliés à la consommation, la direction du Mouvement résistera jusqu'aux années 1960 à la contestation de sa politique. Pour contrer la critique, *La Revue Desjardins*, organe officiel de la Fédération provinciale des caisses populaires, s'applique à faire comprendre « l'esprit des caisses » et à démontrer le bien-fondé de leur politique de crédit. Pendant que Cyrille Vaillancourt croise le fer avec « les esprits chercheurs qui veulent réorienter les caisses », le rédacteur de la revue, Paul-Émile Charron, explique dans des exposés solidement charpentés la logique du système et tente de mettre en relief la portée des remises en question.

La résistance prend aussi la forme d'une campagne en faveur de l'épargne. La fédération met à la disposition des caisses une variété d'articles promotionnels et d'outils éducatifs (affiches, tirelires, couvertures de livres scolaires, brochures) qui rappellent aux membres des caisses les bienfaits de l'épargne et les moyens à prendre pour épargner. On véhicule des slogans comme « Le souci de l'épargne épargne les soucis » ou le fameux « Penser avant de dépenser », dont on fait le thème du congrès international de 1957, tenu à l'occasion du 25e anniversaire de la fédération provinciale. Pour atteindre les jeunes, des efforts très importants sont consacrés à l'implantation des caisses scolaires. À partir de 1949, grâce à la campagne menée par Émile Girardin, leur nombre se multiplie à une vitesse fulgurante.

En 1959, l'Union régionale de Saint-Hyacinthe organise le premier congrès des responsables des caisses scolaires. CCPEDQ.

Les dépôts du dimanche

Mon père reçoit les membres deux soirs par semaine dans la jolie cuisine d'été d'une maison privée du village et accueille chez nous à n'importe quel moment les gens qui veulent obtenir de l'information ou faire des transactions.

De nombreuses personnes, à ce moment-là, ont encore peu d'occasions de se déplacer. Alors, comme les gens savent que le gérant sera présent à la grand-messe du dimanche, plusieurs d'entre eux comptent sur cette occasion pour régler leurs affaires. Mon père ne s'en offusque pas ; au contraire, il est heureux de voir les progrès constants de la caisse auprès de la population du milieu. Chaque dimanche, il apporte avec lui quelques papiers pour prendre des notes et donner des reçus. Mais, assez souvent, les gens l'accostent dehors, ou en le croisant dans la nef, ou lorsqu'il passe au magasin général pour quelque course rapide ; ils lui remettent parfois une enveloppe scellée, le plus souvent quelques billets à déposer sur leur compte ou à rabattre sur un emprunt.

Mon père range systématiquement dans les poches de son veston les dépôts reçus. Mais il arrive à l'occasion qu'il ne parvient plus à se souvenir de toutes les personnes qu'il a rencontrées, ou de ce qu'on lui a demandé de faire avec l'argent. Il faut alors recomposer avec lui l'itinéraire parcouru et la séquence des rencontres pour pouvoir identifier les déposants et retrouver les indications fournies par ces personnes.

À ce moment, il faut bien le souligner, les gens ne se formalisent pas trop dans leurs démarches auprès de la caisse et ils cherchent rarement à se libérer de notre présence auprès de mon père lorsqu'ils s'adressent à lui comme gérant de la caisse. Souvent, même, ils blaguent en s'adressant à nous, nous faisant promettre, par exemple, de le leur dire si mon père venait à utiliser leur argent pour s'acheter de la « bagosse ». Tous savaient pertinemment que mon père ne prenait jamais une seule goutte de boisson alcoolique…

Heureusement que le curé voyait d'un bon œil l'établissement de la caisse et que de faire sa comptabilité n'était pas compté comme du vrai travail, car mon père aurait payé de nombreux rosaires ses dimanches après-midi consacrés à la tenue correcte des comptes de la caisse ou à la rédaction des procès-verbaux de ses diverses assemblées.

Guy Cameron

Les familles continuent de s'endetter

Inflexibles en apparence, les dirigeants de la fédération n'en amorcent pas moins une réflexion en profondeur. À la suite du congrès de 1956, le conseil d'administration de la fédération décide même de commander à des chercheurs de la Faculté des sciences sociales de l'Université Laval une vaste enquête sur les conditions de vie, les besoins et les aspirations de la famille salariée canadienne-française. Mais, pour l'instant, il ne saurait être question de gros changements à la politique de crédit. Chez la plupart des dirigeants, la libéralisation du crédit reste synonyme d'encouragement à la dépense et à l'endettement. On refuse de considérer l'achat à crédit autrement que comme une pratique contraire à une saine gestion du budget familial et une menace à la sécurité des foyers. Mais cette attitude ne contribue malheureusement qu'à accentuer le problème. Car un fait demeure : un nombre sans cesse croissant de familles s'endettent auprès des sociétés de crédit pour l'acquisition de biens durables que les nouvelles normes de consommation définissent comme essentiels. En assouplissant leur politique de crédit, les caisses pourraient leur éviter de payer des taux trop élevés tout en faisant leur travail d'éducation économique.

Une prudente libéralisation du crédit

Au début des années 1960, des signes annonciateurs de changements commencent à se manifester. En 1961, le président de la fédération provinciale, Émile Girardin, déclare dans une conférence : « Les caisses populaires doivent envisager la possibilité de prêter davantage aux sociétaires pour l'achat de mobilier et autres nécessités actuelles, autrefois considérées

Ma Caisse

« L'accroissement constant du nombre de nos caisses et du nombre de sociétaires demande un moyen de propagande apte à renseigner sur l'épargne et le crédit par la coopération le plus grand nombre de sociétaires possible. » – Benjamin Béland, président de l'Union régionale de Montréal, juin 1952.

C'est à ce moment qu'a été lancée la revue *Ma Caisse populaire*. D'abord le fruit de l'Union régionale de Montréal, la revue devient vite l'organe des caisses populaires Desjardins affiliées aux unions régionales et à la Fédération de Québec. En 1963, rebaptisée *Ma Caisse* et réalisée entièrement par les gens de la fédération provinciale, elle est désormais présentée comme une revue d'information et d'éducation.

Vouée à la protection du consommateur bien avant la création de l'Office de la protection du consommateur, *Ma Caisse* consacre de nombreuses pages au budget familial et au problème de la consommation en général. À partir de 1985, elle s'intéresse plus largement aux questions socio-économiques qui préoccupent la société québécoise.

En 1992, le contenu de la revue *Ma Caisse* est réorienté vers les finances personnelles des membres du Mouvement. Et, en 1999, la revue a réaffirmé l'importance de l'orientation adoptée sept ans plus tôt en changeant son nom pour devenir *Ma Caisse Mes finances, la revue des membres Desjardins.*

Président de l'Union régionale de Montréal de 1950 à 1954, et père du président du Mouvement, Claude Béland, Benjamin Béland fonde la revue *Ma Caisse* en 1952.

René Croteau, assistant-gérant à l'Union régionale des caisses populaires Desjardins de Québec, Alfred Rouleau, directeur général de l'Assurance-vie Desjardins, Paul-Émile Charron, assistant-gérant et secrétaire adjoint de la fédération provinciale et Ernest Guimont, gérant de la Caisse populaire de Québec-Est, sont au cœur de la modernisation au cours des années 1960.

comme objets de luxe[2]. » Même Cyrille Vaillancourt adopte un ton plus conciliant : « Qu'il y ait des méthodes modernes d'adaptation dans l'application de nos principes, c'est possible ; ce sont là des choses à étudier et à bien peser[3] ».

Il faut attendre jusqu'en 1963 avant que la politique de crédit ne fasse l'objet de changements. La décision est prise lors d'un important congrès de dirigeants de caisses tenu à la suite de la publication des résultats de l'enquête des sociologues Tremblay et Fortin sur les conditions de vie, les besoins et les aspirations des familles salariées canadiennes-françaises[4]. Ce rapport, qui suscite un immense intérêt dans le Mouvement, présente le crédit à la consommation et l'endettement comme une dimension des nouveaux modes de vie. Les auteurs ont pu constater que l'élévation des niveaux de vie et le développement des communications de masse ont entraîné une multiplication et une diversification des besoins dans toutes les classes de la société, et que ces changements ont modifié les fonctions traditionnelles de l'épargne et du crédit. Les assurances et l'achat à tempérament tendent à remplacer l'épargne traditionnelle, tandis que le recours au crédit est de plus en plus admis comme moyen de satisfaire les besoins reliés aux nouvelles normes de consommation. Le rapport note que c'est auprès des « compagnies de finance » que le plus grand nombre de familles obtiennent des prêts et que plusieurs de ces emprunts pourraient être consentis par les caisses à de meilleures conditions.

2. Émile Girardin, « Vigoureux discours », *La Revue Desjardins*, XXVII, 11 (novembre 1961), p. 166.
3. C. Vaillancourt, « En marge de deux congrès », *La Revue Desjardins*, XXVII, 6-7 (juin-juillet 1961), p. 103.
4. Marc-Adélard Tremblay et Gérald Fortin, avec la collaboration de Marc Laplante, *Les comportements économiques de la famille salariée du Québec. Une étude des conditions de vie, des besoins et des aspirations de la famille canadienne-française d'aujourd'hui*. Québec, Presses de l'Université Laval, 1964, 405 p.

Après mûre réflexion sur ces constats qui démontrent le caractère inéluctable des nouveaux comportements économiques de la population, les dirigeants de caisses conviennent d'examiner « les besoins légitimes de chaque sociétaire » et de réviser « au besoin » leur politique de prêt[5]. Cette ouverture mesurée exprime bien la prudence avec laquelle on entend procéder à la libéralisation du crédit, mais n'en révèle pas moins une nouvelle attitude.

L'ÈRE DES DISCOURS MORALISATEURS EST RÉVOLUE

Si elles posent un tel geste, les caisses populaires n'entendent toutefois pas renoncer à leur mission éducative ni abandonner les principes de prévoyance et d'épargne qui ont de tout temps inspiré leur fonctionnement. Pour lutter contre les problèmes d'endettement et faire en sorte que la libéralisation de la politique de crédit des caisses ne contribue pas à l'accentuer, le Mouvement Desjardins lance une campagne d'éducation économique à laquelle il consacrera d'importantes ressources. L'ère de la propagande et des discours moralisateurs sur l'épargne est maintenant révolue. Des méthodes nouvelles sont expérimentées. L'éducation économique des membres est confiée à des travailleurs sociaux, spécialistes de l'éducation à la consommation et de l'économie familiale. Recrutés par la fédération et par les unions régionales, ces conseillers donnent des conférences dans les caisses populaires, animent des rencontres de groupe ou offrent des services de consultation budgétaire. Ils donnent également des stages de formation en économie familiale à l'intention du personnel des caisses populaires. La télévision et diverses publications viennent soutenir cette campagne. Une série de treize émissions de télévision intitulée *Famille d'aujourd'hui*, et diffusée sur les ondes de Radio-Canada, à partir de novembre 1963, traite des conditions de vie des familles salariées canadiennes-françaises à la lumière des résultats de l'enquête Tremblay-Fortin. Une autre série de 26 émissions éducatives portant sur l'économie familiale, *Boni populaire Desjardins*, sera diffusée à compter d'octobre 1968.

Guy Provost, animateur du jeu télévisé *Boni populaire Desjardins*, diffusé à compter d'octobre 1968 par 10 postes régionaux privés.
(CFTM-TV Montréal).

5. *8e Congrès des Caisses populaires Desjardins, tenu à Québec les 12, 13, 14 et 15 mai 1963*, Lévis, Fédération de Québec des unions régionales de caisses populaires Desjardins, s.d., 450 p.

UN LIEU D'ÉBULLITION DE LA RÉVOLUTION TRANQUILLE

Les activités d'éducation conçues par le service d'éducation de la fédération provinciale s'adressent aussi aux gérants de caisses dont on veut améliorer l'aptitude à comprendre et à analyser les besoins de leur milieu. Le Mouvement Desjardins se dote même, en 1963, d'un centre résidentiel d'éducation des adultes pour répondre aux besoins de formation professionnelle et d'éducation coopérative du personnel et des dirigeants.

Moderne et fonctionnel, l'Institut coopératif Desjardins abrite 88 chambres et des salles de conférences et d'ateliers. Des centaines de gérants de caisses viendront y suivre des stages de formation sur les problèmes économiques et sociaux des familles québécoises ou sur divers aspects de la gestion des caisses. L'Institut coopératif Desjardins est également ouvert aux clientèles externes. Des enseignants, des syndicalistes et des employés de la fonction publique y tiennent fréquemment des activités de formation. On y accueille des stagiaires venus de divers pays d'Afrique et d'Asie ou encore des Inuits de Povungnituk, où une caisse populaire est fondée en 1962. Les échanges d'idées et les expériences pédagogiques novatrices qui se déroulent à l'Institut en font d'ailleurs l'un des lieux d'ébullition de la Révolution tranquille.

Au cours des années 1960, alors que le Québec s'appliquait à moderniser ses institutions, la libéralisation du crédit et une nouvelle stratégie d'éducation économique auront donc permis aux caisses de se moderniser elles aussi, de se rapprocher de leurs membres et de mieux accomplir leur mission.

Paul Lacaille, gérant de la Caisse populaire d'Hochelaga, compte parmi les gérants les plus actifs dans le domaine de l'éducation économique et coopérative des membres. (Camille Casavant, Montréal). CCPEDQ.

De la visite rare

Cyrille Vaillancourt, en compagnie du père Steinman et de quelques Inuits de Povungnituk. Au début des années 1960, le Mouvement Desjardins tisse des liens étroits avec les Inuits de Povungnituk au Nouveau-Québec. Invitée à fournir une aide technique à la Société coopérative de Povungnituk, la fédération provinciale fonde une caisse populaire à ce endroit en 1962 afin de permettre aux Inuits de s'organiser eux-mêmes et de promouvoir leur économie. Des Inuits seront accueillis à Lévis à quelques reprises. Certains d'entre eux suivront d'ailleurs une formation sur la coopération à l'Institut coopératif Desjardins.

Cyrille Vaillancourt, en compagnie du père Steinman, à gauche, et de quelques Inuits de Povungnituk, au début des années 1960. CCPEDQ.

L'ÉPOQUE ÉPIQUE

Mes premières expériences de commis

Trapu et costaud, mon père a des mains courtes et massives, cornées par les travaux des champs ou de la forêt.

Quand vient le temps de mettre à jour la comptabilité de la caisse, il s'impatiente parfois sur l'antique machine à additionner, faite, à l'époque, de huit rangées verticales de chiffres, de 0 à 9, permettant d'enregistrer des montants de 0 ¢ à 999 999,99 $. Ses gros doigts calleux enfoncent trop souvent la mauvaise touche et toute l'addition s'en trouve faussée.

Nous, les enfants, fascinés par la machine, nous l'estimons chanceux de pouvoir ainsi profiter des progrès de la technologie ! Mon père est-il conscient et un peu jaloux de son privilège, ou, plutôt, sous-estime-t-il la robuste mécanique de la machine, toujours est-il qu'il nous est généralement interdit de toucher à l'engin, soigneusement recouvert par ma mère d'une housse qui le protège autant de la curiosité enfantine que de la poussière que soulève la circulation dense de la maison.

De temps à autre, mon père, ayant dévêtu le mystérieux appareil pour ses besoins de trésorier, nous permet de faire, l'un après l'autre, quelques opérations simples. Il n'est pas long à constater que nos petits doigts agiles « naviguent » plus habilement que les siens sur le clavier. Il en vient donc rapidement à nous dicter les chiffres qu'il doit traiter pour confectionner la comptabilité courante de la caisse et des autres institutions locales dont il assume la responsabilité. La main-d'œuvre est enthousiaste et ne manque jamais. Peu à peu, il comprend qu'il est devenu inutile de nous dicter les chiffres, que nous pouvons très bien lire tout seuls dans les colonnes du grand-livre. C'est ainsi que nous, les plus vieux de la famille, devenons progressivement les assistants-comptables de la caisse.

Guy Cameron

[…] La démocratie
est basée sur le principe
de « la maison de verre »
selon lequel
l'information circule
librement au vu
et au su de tous
les participants.

Alfred Rouleau

CHAPITRE 9

Au cœur de la Révolution tranquille

Au début des années 1960, lorsque la Révolution tranquille se met en branle, le Mouvement Desjardins est l'une des forces sur lesquelles les Québécois misent le plus pour prendre en main leur économie. En réponse aux pressions multiples qui s'exercent sur elles, les caisses populaires posent plusieurs gestes qui ont pour effet d'accroître leur participation au développement économique et de renforcer leurs positions dans le domaine financier. En plus d'étendre considérablement leur réseau de sociétés filiales par l'acquisition de deux compagnies d'assurances, d'une société de fiducie et d'une entreprise de fonds mutuels, elles font aussi leurs premiers pas dans le domaine de l'investissement, en devenant partenaires de l'État dans la Société générale de financement du Québec (SGF) et en faisant l'achat de la pâtisserie Vachon inc. En somme, la Révolution tranquille est l'occasion pour le Mouvement Desjardins d'élargir son champ d'action et de s'affirmer comme l'un des principaux intervenants dans l'économie québécoise.

Oscar Mercure (à gauche) et A.-Hervé Hébert de la haute direction de l'Assurance-vie Desjardins seront, avec Alfred Rouleau, des acteurs de premier plan dans le développement du réseau des sociétés filiales des caisses populaires, au cours des années 1960.

L'actif atteint un milliard de dollars en 1964

Reconnue comme un outil de libération économique et appréciée pour les liens étroits qui la rattachent à son milieu, la caisse populaire fait maintenant partie intégrante de l'organisation des communautés locales québécoises. Au début des années 1960, on en compte 1 227 en activité, soit 319 de plus qu'en 1945. À l'extérieur de la région de Montréal, où la pénétration des caisses accuse un retard, rares sont les paroisses du Québec qui ne possèdent pas encore « leur caisse ». Grâce à cette expansion du réseau et au recrutement constant de nouveaux membres, le Mouvement des caisses populaires conserve, après la Seconde Guerre mondiale, un rythme de croissance rapide. De 1945 à 1960, le nombre des membres passe de 371 211 à 1,2 million, tandis que l'actif de l'ensemble des caisses s'élève de 119 à 687 millions de dollars. On s'approche à grands pas du premier milliard d'actif qui sera atteint en 1964.

« Elles [les caisses] doivent participer à l'activité économique du milieu québécois dans son sens le plus large. » Gérard Filion, directeur du *Devoir*, 1961. Photo tirée de son autobiographie *Fais ce que peux. En guise de mémoires.*

Élargir le champ d'activité des caisses

Les succès financiers font naître de nouvelles attentes. Dans une société où la dépendance à l'égard du capital étranger constitue un problème alarmant, plusieurs observateurs de la scène économique souhaitent qu'une partie de cette épargne accumulée dans les coffres des caisses serve au financement des entreprises industrielles dont le Québec a besoin pour prendre en main son développement. Des économistes comme André Raynauld et François-Albert Angers déplorent l'importance des sommes que les caisses populaires consacrent à des achats d'obligations de gouvernements, de municipalités ou de commissions scolaires et réclament la mise en place d'une politique de placement qui leur permettrait de jouer un rôle plus dynamique dans l'économie. Leur demande ne s'adresse pas qu'aux dirigeants des caisses; elle vise également le gouvernement québécois dont dépend la levée des obstacles juridiques qui empêchent les caisses de détenir des actions d'entreprises.

À l'aube de la Révolution tranquille, les caisses populaires sont vues comme l'un des rares leviers sur lequel le Québec peut compter pour entreprendre sa libération économique. Dans un éditorial publié dans *Le Devoir* en 1961, Gérard Filion exprime bien les nouvelles attentes des Québécois: « Parce que les caisses sont devenues une grande affaire, elles doivent s'adapter aux conditions de leur puissance [...] elles ne peuvent plus rester cantonnées à des fonctions strictement d'épargne, de crédit personnel et de placement de tout repos. Elles doivent participer à l'activité économique du milieu québécois dans son sens le plus large. [...] Ce dont il est présentement question, c'est d'élargir un peu plus leur champ d'activité en les autorisant à placer une partie de leur avoir propre dans des actions et des obligations d'entreprises commerciales, industrielles ou financières[1] ».

Un premier investissement de 5 millions de dollars

Le premier geste posé par les caisses populaires afin de sortir des sentiers battus sera leur participation au capital de la Société générale de financement du Québec (SGF). Créée en 1962 par le gouvernement de Jean Lesage, la SGF a pour mission de renforcer la structure industrielle du Québec en favorisant la création et le développement de grandes entreprises dans des secteurs jugés stratégiques. Il s'agit d'une société mixte, dont le capital provient à la fois de l'État, de l'entreprise privée et du public. Le gouvernement a autorisé les caisses à souscrire jusqu'au quart de leurs avoirs propres respectifs au capital de la SGF.

1. Gérard Filion, « Les placements industriels des Caisses populaires », *Le Devoir*, 4 mars 1961.

Les dirigeants du Mouvement Desjardins, Cyrille Vaillancourt en tête, incitent fortement les caisses à contribuer à cet « effort collectif de développement économique » qui s'inscrit au cœur même de la Révolution tranquille[2]. Et les caisses répondent à l'appel en investissant plus de cinq millions en 1963, auxquels s'ajouteront trois autres millions à la fin des années 1960. Mais les mauvais résultats financiers de la SGF, attribuables à un manque de planification et à une trop grande dispersion des investissements, auront tôt fait de refroidir leur enthousiasme. En 1972, lorsque le gouvernement choisit de transformer la SGF en société d'État et d'en acquérir toutes les actions, les caisses populaires ne se laissent pas prier pour mettre fin à cette expérience jugée « pénible ».

L'acquisition de Vachon inc.

En 1970 le Mouvement Desjardins pose un geste très remarqué dans le domaine de l'investissement en devenant propriétaire de la pâtisserie Vachon inc. qui était sur le point de passer à des intérêts américains. Un concours de circonstances est à l'origine de cette transaction tout à fait inattendue. Le Mouvement Desjardins n'avait aucunement l'intention d'investir 14 millions dans l'achat de ce fleuron de l'industrie québécoise. Il n'était au départ que le mandataire de la Société générale de financement à qui il devait céder les actions une fois l'affaire conclue. Or, après la transaction, une mésentente et des changements dans la situation financière de la SGF viennent entraver le déroulement du scénario prévu. Considérant les excellentes retombées publicitaires de la transaction, les unions régionales décident, en 1971, de se partager les actions de Vachon afin que le Mouvement en conserve l'entière propriété. Il ne s'en départira qu'en 1999.

Pop-sac-à-vie-sau-sec-fi-co-pin

Au cours des années 1960, le Mouvement Desjardins apporte également une contribution remarquée au renforcement du contrôle québécois de l'économie par le développement de son propre réseau de sociétés filiales.

De 1962 à 1969, les caisses populaires qui possédaient déjà deux mutuelles d'assurance font l'acquisition de deux compagnies d'assurance, d'une société de fiducie et d'une entreprise de fonds mutuels. Pour rendre possibles ces acquisitions, elles mettent également sur pied deux sociétés de portefeuille (holding). En peu de temps, le Mouvement Desjardins se donne ainsi l'allure d'un complexe financier dont les ramifications s'étendent à la plupart des grands secteurs de l'industrie financière. En

Marie-Josée Taillefer dans le message publicitaire « Pop-sac-à-vie-sau-sec-fi-co-pin ». Cette publicité diffusée en 1969 connaît un immense succès. En plus de mériter le prix Éclair des journalises du magazine *TV-Hebdo*, elle est reconnue par l'Association canadienne des annonceurs comme l'une des cinq meilleures publicités au pays. (Carte postale). CCPEDQ.

2. Cyrille Vaillancourt, « Nous n'effaçons rien », *La Revue Desjardins*, XXIX, 5 (mai 1963), p. 83.

1969, une publicité célèbre diffusée à la télévision réussira à inscrire dans la mémoire des Québécois cette variété d'entreprises rattachées au Mouvement Desjardins. Plusieurs se souviennent encore de la chaîne d'abréviations « pop-sac-à-vie-sau-sec-fi-co-pin » prononcée par une enfant enjouée qui proposait ainsi un truc pour se rappeler chacune des composantes.

La série d'acquisitions débute en 1962 avec La Sauvegarde, la plus ancienne compagnie d'assurance vie canadienne-française, fondée à Montréal en 1901, soit quelques mois à peine après la Caisse populaire de Lévis. La compagnie créée dans les milieux nationalistes montréalais fait elle aussi figure d'outil de libération économique. Son histoire, écrit-on à l'époque, « se confond avec celle des premières audaces des Canadiens français en matière d'économie et de finance[3] ». Chez les dirigeants des caisses populaires, l'achat de cette compagnie est perçu comme une bonne occasion d'élargir le champ d'action du Mouvement dans le domaine de l'assurance, tout en garantissant la conservation d'un patrimoine accumulé par l'épargne des Canadiens français. L'annonce de cette transaction de 3,7 millions, conclue le 7 août 1962, provoque des réactions très enthousiastes dans la presse francophone qui constate avec beaucoup de satisfaction que le Mouvement Desjardins est maintenant en mesure de protéger les entreprises canadiennes-françaises de la mainmise étrangère.

Pour contourner les obstacles juridiques qui auraient pu empêcher la transaction, il a fallu mettre sur pied une société de portefeuille, la Société de gestion d'Aubigny, incorporée le 12 avril 1962, à laquelle les unions régionales ont prêté les sommes nécessaires. Mais ce n'était là qu'une solution temporaire, en attendant que le gouvernement du Québec consente à élargir les pouvoirs de placement des caisses populaires.

Émile Girardin : l'éducateur populaire

Émile Girardin a été le président de la fédération provinciale de 1959 à 1972. Né le 28 novembre 1895 à Yamachiche, il a joué un rôle d'avant-plan à l'Union régionale de Montréal à titre de secrétaire-gérant (1934-1954), puis de président (1954-1971). Engagé dans le milieu scolaire, d'abord à titre d'enseignant puis de directeur d'école et de commissaire, il a fait sa marque comme promoteur des caisses scolaires, auxquelles il a donné une puissante impulsion à partir de 1949. Avec le concours du directeur général de la fédération, Cyrille Vaillancourt, dont il partageait la prudence et la fidélité aux valeurs traditionnelles, Émile Girardin aura tout de même dirigé le Mouvement dans la voie de la modernisation et de l'adaptation aux changements. Il est décédé à Montréal le 20 mai 1982.

Marie-Josée Taillefer, vedette de la publicité « Pop-sac-à-vie-sau-sec-fi-co-pin », en compagnie du président de la Fédération provinciale des caisses populaires Desjardins, Émile Girardin.

L'édifice de La Sauvegarde, rue Notre-Dame à Montréal, en 1968.
Ville de Montréal, Gestion de documents et archives, A-559-20.

3. *La Sauvegarde passe au Mouvement Desjardins* (dépliant relatant la transaction), [1962].

Peu de temps après, le 31 janvier 1963, le Mouvement Desjardins se sert à nouveau de la Société de gestion d'Aubigny pour faire l'acquisition de la Société de fiducie du Québec, une entreprise en gestation, incorporée en septembre 1962 et qui n'avait pas encore commencé ses activités. La venue d'une telle entreprise était très attendue. On voulait, depuis longtemps, mettre à la disposition des membres des caisses populaires des services de planification testamentaire, de règlement de succession et de gestion des biens et leur offrir des fonds de placements. On comptait aussi se servir d'une société de fiducie pour acheter des actions de banque et, éventuellement, prendre le contrôle d'une banque qui deviendrait l'agent financier des caisses auprès des chambres de compensation et de la Banque du Canada.

Toujours en 1963, le 27 novembre, c'est au tour de la compagnie d'assurance La Sécurité de joindre les rangs du Mouvement Desjardins. Cette compagnie appartenant à des intérêts français, créée en 1940, est achetée pour la somme de 1 093 000 $ dans le but de renforcer les positions du Mouvement dans les assurances générales. L'acquéreur, encore une fois est la Société de gestion d'Aubigny.

Les astuces de la loi

C'est une nouvelle entreprise, appelée Association coopérative Desjardins, qui permettra aux caisses populaires de devenir les propriétaires de plein droit de leurs nouvelles sociétés filiales. Contrairement aux demandes formulées par les dirigeants du Mouvement Desjardins, la nouvelle Loi des caisses d'épargne et de crédit, adoptée par le gouvernement québécois en mars 1963, n'a pas autorisé les caisses populaires à investir une partie de leurs fonds de réserve dans des actions de compagnies industrielles ou financières. Le gouvernement avait-il peur de déplaire aux milieux financiers ? Craignait-il d'ouvrir la porte à des opérations trop risquées ? Cependant, sans s'en rendre compte ou sans vouloir l'affirmer publiquement, il a tout de même fourni aux caisses populaires les moyens juridiques dont elles avaient besoin pour atteindre leurs objectifs. En effet, si la Loi des coopératives d'épargne et de crédit ne les autorise pas à acheter des actions, elle leur permet de souscrire des parts sociales dans les coopératives qui, elles, ont le droit, en vertu de la nouvelle Loi des associations coopératives, d'acheter de telles actions.

La rue Saint-Jacques, centre financier de Montréal, en 1965. Ville de Montréal, Gestion de documents et archives, A-553-2.

Mises ensemble, les deux lois offrent aux caisses populaires la possibilité de former une coopérative qui leur servira de passerelle pour prendre le contrôle de leurs sociétés filiales.

Créée le 16 juillet 1963 et entrée en activité en janvier 1964, l'Association coopérative Desjardins est la nouvelle société de portefeuille qui remplace la Société de gestion d'Aubigny. De 1964 à 1971, les caisses populaires y investiront 11,2 millions de dollars pour couvrir les coûts d'acquisition de leurs sociétés filiales et accroître leur capitalisation.

En 1969, après 37 ans de services, Cyrille Vaillancourt (à gauche) passe la direction générale de la Fédération de Québec des caisses populaires Desjardins à Paul-Émile Charon (à droite) qui occupera le poste jusqu'en 1973. Au centre, le président de la fédération de 1959 à 1972, Émile Girardin.
(Légaré & Kedl ltée, Québec). CCPEDQ.

En 1969, le Mouvement Desjardins se donne un nouveau point d'ancrage dans le domaine des fonds mutuels avec l'achat des Placements collectifs inc., la plus importante compagnie canadienne-française de ce genre. L'acheteur n'est pas l'Association coopérative Desjardins, mais un regroupement formé par la Société de fiducie du Québec, l'Assurance-vie Desjardins et La Sauvegarde. Comme La Sauvegarde, cette entreprise est un fruit du nationalisme économique : elle a été fondée en 1956 par des militants de l'Ordre de Jacques-Cartier afin de renforcer la position des Canadiens français dans ce secteur dominé par des entreprises canadiennes-anglaises et étrangères. Le nationalisme économique est d'ailleurs l'un des facteurs qui motivent cette transaction. Comme le souligne le président de la fédération Émile Girardin, dans une circulaire adressée aux dirigeants des caisses, il s'agit de garantir la « conservation dans notre patrimoine des actifs de ces fonds qui ont été fondés par les nôtres et bâtis par l'ensemble des épargnants canadiens-français[4] ».

Souvent marqué par l'improvisation et réalisé à travers une série d'obstacles, ce processus d'expansion du Mouvement Desjardins apparaît au total comme une contribution appréciable à la réalisation des grand idéaux de la Révolution tranquille. Avec les investissements des caisses populaires et le développement de leur réseau de sociétés filiales, l'affirmation du pouvoir économique des Québécois francophones venait de franchir une étape importante.

4. Archives de la CCPEDQ, 11235-103, Émile Girardin aux dirigeants des caisses populaires (lettre circulaire), 26 juin 1969.

1971-2000

Innovation, croissance et changements

Il faut finalement concrétiser l'image de la caisse populaire comme lieu de rencontre, comme point de ralliement et même comme carrefour des grandes interventions du milieu.

Jean-Eudes Bergeron

Premier vice-président
et directeur général
de la Fédération des caisses
populaires Desjardins
du Saguenay–Lac-Saint-Jean
de 1977 à 1994.

CHAPITRE 10

La croissance d'un géant

Au cours des années 1970 et 1980, le Mouvement des caisses Desjardins atteint progressivement la taille d'un géant financier. De plus en plus de Québécois se font un point d'honneur d'être membres d'une caisse populaire, de participer au succès de cette institution qui leur appartient et qui, en plus du sens des affaires, sait faire preuve de solidarité et d'engagement dans le milieu. Le Mouvement Desjardins s'affirme comme l'une des plus grandes réussites collectives des Québécois et comme un symbole de leur savoir-faire.

Alfred Rouleau, président du Mouvement Desjardins de 1972 à 1981, en compagnie de Robert Bourassa, premier ministre du Québec. Vers 1975. CCPEDQ.

Grâce à une croissance financière soutenue, le Mouvement Desjardins continue d'étendre son champ d'action tout en intensifiant sa participation au développement de l'économie nationale, deux orientations adoptées lors de la Révolution tranquille. L'élargissement et la consolidation de son réseau de sociétés filiales et la création de la Caisse centrale Desjardins lui procurent des outils indispensables pour affronter une conrurrence de plus en plus vive, dans un marché transformé par le décloisonnement. Desjardins devient en outre le lieu de ralliement de tous les groupes de coopératives d'épargne et de crédit du Québec (1979-1982) ; il accueille un peu plus tard ceux des autres communautés francophones du Canada (1989-1990).

À coups de milliards

En 1982, un organe financier notait : « Le fait de la dernière décennie a été sans conteste l'ascension rapide du Mouvement Desjardins » ; son évolution « fait figure de véritable avalanche[1] ». Ce genre de commentaire n'est pas exceptionnel à l'époque. Et pour cause. De 1970 à 1979, l'actif du Mouvement gagne près de 9 milliards de dollars, passant de 2,5 à 11,5 milliards. Grâce à la densité de leur réseau, à leur enracinement

1. « La « troisième colonne » de l'économie québécoise », *Finance*, 6 décembre 1982, p. 16.

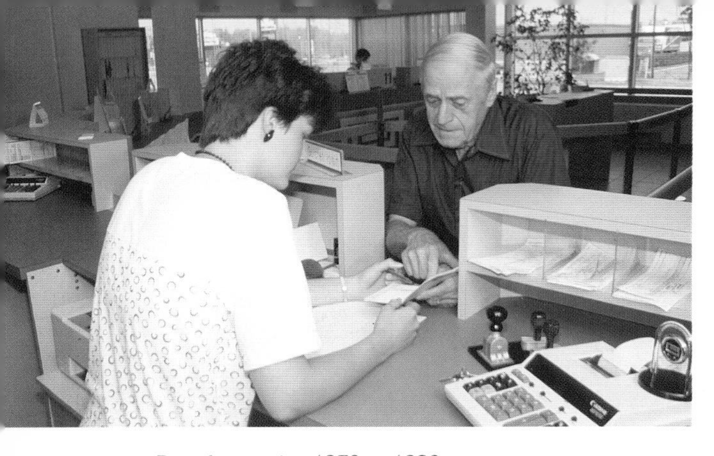

Dans les années 1970 et 1980, les caisses Desjardins recueillent une part toujours croissante de l'épargne des Québécois. CCPEDQ.

dans les communautés locales et à l'image de sécurité financière et d'avant-gardisme qu'elles projettent dans la population, sans parler du climat de nationalisme économique qui leur est très favorable, les caisses réussissent à recueillir une part toujours croissante de l'épargne des Québécois et à augmenter d'autant leur participation au financement de l'activité économique québécoise.

La croissance annuelle moyenne de leur actif est de 18,77 % durant les années 1970. Même en tenant compte de l'inflation et de l'intégration, en 1979, de la Fédération des caisses d'économie, il s'agit là d'une progression phénoménale. En 1971, l'augmentation de l'épargne dans les caisses s'élève à 19,4%, un taux de croissance qui ne s'était pas vu depuis 25 ans. En 1975, un nouveau sommet est atteint avec une croissance de 22,7%, dépassant celle des banques par 9 points. Par la suite, la progression du réseau des caisses sur le plan de l'épargne prendra globalement des proportions comparables à celles de ses concurrents.

Le début des années 1980 et celui des années 1990 sont marqués par des crises économiques de forte ampleur. Des pressions inflationnistes incitent alors les autorités monétaires à hausser les taux d'intérêt de façon substantielle. La crise de 1980-1982, durant laquelle les taux d'intérêt montent à des niveaux sans précédent, entraîne l'économie québécoise dans la pire récession depuis les années 1930. Les caisses populaires Desjardins sont sérieusement secouées par cette crise, et plusieurs d'entre elles doivent puiser de fortes sommes dans leurs réserves pour éponger des déficits.

Mais elles retrouvent vite le chemin de la croissance. La fusion de la Fédération de Montréal des caisses Desjardins en 1982 contribue également à l'augmentation de l'actif du Mouvement qui s'élève à 44,2 milliards de dollars à la fin de 1989. Si bien que, pour l'ensemble de la décennie, l'actif du réseau des caisses affiche une croissance annuelle moyenne de 12,9 %. Dans presque tous les domaines, et particulièrement dans ceux du crédit agricole et du crédit commercial et industriel, les caisses réussissent d'ailleurs à accroître leurs parts de marché.

Le rythme de croissance du réseau des caisses Desjardins sera cependant beaucoup moins rapide dans les années 1990, en raison de différents facteurs dont un faible taux d'inflation, une concurrence beaucoup plus vive sur les marchés, une certaine saturation du bassin de membres et une baisse marquée du marché des dépôts d'épargne traditionnelle. Avec leurs cinq millions de membres, les caisses Desjardins ne peuvent plus miser sur un recrutement significatif pour assurer leur progression. Par ailleurs, la baisse des taux d'intérêt a provoqué une chute de popularité des dépôts traditionnels chez les épargnants qui se sont tournés vers les fonds de placement et les valeurs mobilières dans l'espoir d'un meilleur rendement. Mais de nouvelles stratégies, dont la mise en marché de produits d'épargne à rendement boursier et l'acquisition du Groupe La Laurentienne, en 1993, assurent la croissance financière du Mouvement dont l'actif global au Québec dépasse 73 milliards de dollars à la fin de 1999.

Le parquet de la Bourse de Montréal. (Bourse de Montréal).

Le Mouvement Desjardins est, depuis le milieu des années 1960, la première institution financière au Québec et, en dépit d'un léger recul dans certains marchés au cours des dernières années, il conserve une participation très importante dans le financement de l'activité économique québécoise. À la fin de 1999, le réseau des caisses Desjardins détenait 42,2 % des dépôts traditionnels et ses parts de marché étaient de 31,8 % dans le crédit à la consommation, de 37,2 % dans le crédit hypothécaire, de 19,5 % dans le crédit commercial et industriel et de 40,2 % dans le crédit agricole.

La croissance rapide des caisses Desjardins au cours des années 1970 et 1980 et les coups durs portés à leurs réserves par la crise de 1982 n'ont pas été sans occasionner des problèmes de capitalisation. Pour se conformer aux nouvelles normes entrées en vigueur en 1988, elles ont dû affecter à leurs fonds de réserve une plus grande partie de leurs trop-perçus et faire preuve d'innovation afin de mettre au point de nouvelles formules de capitalisation. En 1990, les caisses ont commencé à émettre des parts permanentes auxquelles s'est ajouté en 1994 un nouvel outil, le « titre Desjardins », géré par la société Capital Desjardins qui sert de passerelle entre les caisses émettrices et les investisseurs institutionnels. Toutes ces mesures leur ont permis d'élever leur ratio de capital à un niveau supérieur aux normes internationales. Le recours au capital externe a toutefois l'effet de soumettre davantage les caisses aux exigences des marchés financiers.

Les célébrations du 90e anniversaire du Mouvement Desjardins, en 1990, ont donné lieu à la publication d'un numéro spécial de *FORCES*, consacré à l'histoire, aux valeurs et à l'engagement de Desjardins ainsi qu'à son importance dans le développement économique du Québec. En outre, un téléfilm intitulé *La vie d'un homme, l'histoire d'un peuple* retraçait les grands moments de la vie et de l'œuvre du fondateur des caisses populaires.

La course au décloisonnement

Des années 1970 à nos jours, plusieurs sociétés filiales nouvellement créées, acquises ou issues du fractionnement des fonctions des sociétés existantes viennent élargir et consolider le réseau des sociétés et permettre au Mouvement des caisses Desjardins de manifester une présence très active dans chacun des grands secteurs du monde financier que sont, outre les services bancaires, les assurances, les services fiduciaires et le courtage de valeurs mobilières. Grâce aux lois votées par le gouvernement provincial dans le but d'abaisser les barrières entre les secteurs financiers et de libéraliser la distribution des produits financiers, le Mouvement Desjardins a pu ainsi se donner une longueur d'avance dans la course au décloisonnement.

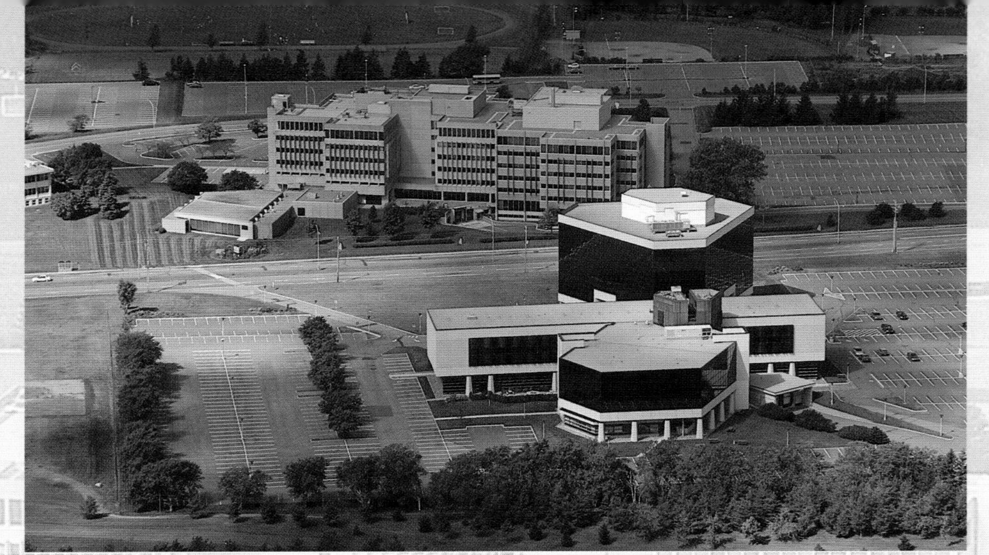

Sièges sociaux du Groupe Desjardins, assurances générales (à l'avant-plan) et de l'Assurance vie Desjardins-Laurentienne, à Lévis.
Photo : Ghislain DesRosiers, CCPEDQ.

En 1989, le Mouvement Desjardins franchit une étape importante en ajoutant à son infrastructure le quatrième pilier du domaine financier, celui des valeurs mobilières. Déjà présent dans les secteurs des assurances, de la fiducie et des services bancaires, il élargit à nouveau son champ d'action lorsqu'en mai 1989 il se porte acquéreur de 72 % des titres du courtier de plein exercice Deragon Langlois, une société qu'il rebaptisera Desjardins Deragon Langlois (DDL). En 1990, c'est dans le courtage à escompte que le Mouvement fait une nouvelle trouée, grâce à l'acquisition de Disnat. Les deux sociétés, DDL et Disnat, sont chapeautées par la Corporation Desjardins des valeurs mobilières, créée en 1988. Le 16 décembre 1991, le regroupement de DDL – dont le Mouvement vient d'acquérir la totalité du capital-actions – avec les Investissements Disnat donne naissance à une nouvelle société, les Valeurs mobilières Desjardins (VMD).

Dans les secteurs financiers où il était déjà présent, le Mouvement Desjardins a cherché au cours des trente dernières années à consolider ses entreprises, notamment par des regroupements, des fusions et des acquisitions. Le premier geste est posé en 1981 dans le domaine des assurances de dommages lorsque les deux compagnies du Mouvement, la Société d'assurance des caisses populaires et La Sécurité, sont regroupées au sein d'une nouvelle entité, le Groupe Desjardins, assurances générales (GDAG). La nouvelle compagnie conserve cependant la raison sociale de La Sécurité et y concentre ses activités d'assurances générales destinées aux groupes. En 1987, le GDAG met sur pied les Assurances générales des caisses Desjardins (AGCD) pour s'occuper de la distribution des produits d'assurance habitation et d'assurance automobile dans les caisses. La Société de portefeuille du Groupe Desjardins, assurances générales, occupe aujourd'hui le premier rang dans les assurances générales pour les particuliers et le troisième rang dans les assurances générales, tous secteurs confondus. À la fin de 1998, elle comptait 1 658 employés et son actif s'élevait à 621,6 millions de dollars.

FUSIONS ET RESTRUCTURATIONS

Dans le secteur de l'assurance vie, les changements les plus importants auront lieu au cours des années 1990. D'abord, le 1er juillet 1990, la compagnie La Sauvegarde, qui avait été acquise par le Mouvement en 1962, est fusionnée avec l'Assurance-vie Desjardins (AVD). La nouvelle AVD porte ainsi sa part de marché à 9 % et se voit propulsée à la tête des assureurs vie au Québec. L'AVD, qui avait aussi acheté la compagnie d'assurance vie Laurier en 1989 et Annuity Life en 1990, élargit encore sa part de marché en 1992 lorsqu'elle se porte acquéreur d'une grande partie des portefeuilles d'assurance individuelle et collective des Coopérants.

L'acquisition par le Mouvement Desjardins d'une portion importante de l'actif du Groupe La Laurentienne entraîne, au début de 1994, la formation du Groupe vie Desjardins-Laurentienne

«Le coup de la Brink's»

Sécurité Desjardins ltée est un nouveau venu dans le domaine du transport des valeurs lorsqu'il procède, le 17 février 1986, à une acquisition qui retient l'attention: celle de l'actif québécois de la Brink's. Par la même occasion, l'entreprise adopte le nouveau nom de SECUR.

Active au Québec depuis 1927, la compagnie canadienne Brink's domine le marché jusqu'à ce que Sécurité Desjardins lance, en 1982, son nouveau service de transport de valeurs. Ce geste, qui fait suite à la décision de la Brink's de cesser ses activités dans la Gaspésie et le Bas-du-fleuve, traduit une volonté de doter les régions du Québec d'un meilleur service de transport des valeurs. En 1985, Sécurité Desjardins dessert déjà, en plus de son réseau de caisses, 34 % des banques québécoises, toutes les succursales de la Régie de l'assurance automobile du Québec, les établissements de la Société des alcools et les pharmacies Jean Coutu; l'entreprise effectue également le transport des valeurs pour la Banque du Canada. Sécurité Desjardins détient globalement 45 % du marché du transport des valeurs, soit la même proportion que la Brink's.

«Cet achat, écrira Raymond Blais dans un communiqué émis au lendemain de la transaction, démontre encore une fois qu'il est possible de prendre en main la conduite de nos affaires pour le mieux-être et le développement de notre société.»

(GVDL) pour chapeauter l'ensemble des compagnies d'assurance de personnes du Mouvement, soit l'AVD, La Laurentienne-vie et L'Imperial Life. Le GVDL procédera à la fin de l'année à la fusion de ses compagnies québécoises, l'AVD et La Laurentienne-vie, sous le nom d'Assurance vie Desjardins-Laurentienne (AVDL). Le Groupe vie Desjardins-Laurentienne occupe aujourd'hui le premier rang au Québec en assurance de personnes, avec une part de marché de 18,7%. À la fin de 1998, son actif était de 7,7 milliards de dollars et il comptait 3005 employés.

L'évolution de la Société de fiducie du Québec, connue aujourd'hui sous le nom de Fiducie Desjardins, est marquée par l'élargissement de la gamme de ses services et des restructurations visant une plus grande synergie avec le réseau des caisses. Depuis 1988, ses activités et celles du Crédit industriel Desjardins sont chapeautées par une société de portefeuille intermédiaire qui porte aujourd'hui le nom de Gestion de services spécialisés Desjardins. La Fiducie Desjardins est un chef de file au Québec dans les fonds de placement, les régimes collectifs d'épargne, l'administration et la garde de titres. Elle propose de plus des services fiduciaires, de gestion privée et de financement hypothécaire. En 1997, elle lançait un fonds de placement à contenu exclusivement québécois.

Gérard Goulet, à gauche, représentant de la Fiducie Desjardins auprès des caisses, avant sa retraite en 1975, en compagnie du président de la Fiducie, Jean-Marie Couture.

Des outils financiers et des sociétés de services

Des outils financiers complémentaires sont venus renforcer le réseau coopératif : la Caisse centrale Desjardins, bras financier du Mouvement, mise sur pied en 1979, et la Corporation de fonds de sécurité de la Confédération Desjardins, créée en 1980 dans le but de doter les fonds de sécurité du Mouvement d'un encadrement mieux adapté.

Les caisses Desjardins se sont aussi entourées de nombreuses sociétés de services ou de soutien. Elles ont créé le Centre Desjardins de traitement de cartes inc. (CDTC), pour s'occuper des opérations de la carte Visa ; la Corporation Desjardins de traitement informatique (CDTI), dans le but de prolonger l'action de la Caisse centrale dans le domaine de la compensation et des systèmes de paiement et afin de répondre aux nouveaux besoins en développements informatiques ; la Corporation immobilière Place Desjardins pour assurer la gestion du complexe Desjardins ; Sécurité Desjardins ltée (SECUR) pour s'occuper du transport des valeurs. En outre, les caisses ont fait l'acquisition en 1989 des Services de paie Info-Logik, qui offrent le service de paie et de virement automatique des salaires.

À cela s'ajoutent d'autres sociétés mises sur pied afin de remplir les engagements du Mouvement dans des domaines variés. La Compagnie internationale de développement régional – Canada (Développement international Desjardins) formée en 1970 partage l'expertise de Desjardins dans les pays en développement ; la Fondation Émile-Girardin (Fondation Desjardins), créée également en 1970, se consacre à la promotion de l'éducation supérieure par la distribution de bourses universitaires d'excellence ; enfin, la Société historique Alphonse-Desjardins, fondée en 1979, voit à la sauvegarde et à la mise en valeur de l'histoire et du patrimoine du Mouvement et de son fondateur.

Un phare dans la ville

Depuis quelques décennies, les sièges sociaux des fédérations et des sociétés filiales multiplient les signes tangibles de la force financière des caisses Desjardins. On ne peut manquer d'apercevoir les édifices de Desjardins, boulevard des Récollets à Trois-Rivières, avenue des Commandeurs à Lévis, boulevard René-Lévesque à Montréal et boulevard Louis-H.-La Fontaine à Anjou ; ils sont tout aussi bien en vue à Maria, à Sherbrooke, à Rimouski, à Amos, à Métabetchouan, à Saint-Hyacinthe et à Joliette.

Sur les hauteurs de Lévis, l'avenue des Commandeurs et le boulevard de la Rive-Sud, où sont regroupés les sièges sociaux de l'Assurance vie Desjardins-Laurentienne, de la Confédération des caisses populaires et d'économie Desjardins du Québec, de la Fédération des caisses populaires Desjardins de Québec, de

Un jeune entrepreneur, Benoît Frappier, remporte la bourse de 10 000 $ de la Fondation Desjardins en 1996. Photo : Robert Gosselin, CCPEDQ.

Alfred Rouleau, Émile Girardin et Jean Drapeau lors d'une conférence de presse annonçant la construction du complexe Desjardins à Montréal. CCPEDQ.

Développement international Desjardins et du Groupe Desjardins, assurances générales, renvoient l'image d'un réseau financier aux ramifications multiples.

Mais la figure de proue du Mouvement Desjardins reste le complexe Desjardins à Montréal. Sa mise en chantier en 1972 et son inauguration en 1976 comptent parmi les événements marquants de la décennie au Québec. Conçu par la Société Jean-Claude La Haye et associés, urbanistes-conseils, le complexe Desjardins était un projet ambitieux : un vaste ensemble architectural moderne, le plus grand complexe administratif et commercial au Canada, financé, conçu et bâti par des Québécois, dans l'un des secteurs les plus défavorisés de la métropole ! La facture, qui dépasse 150 millions de dollars, est partagée à 51 pour cent par les caisses et à 49 pour cent par le gouvernement du Québec. Si ce grand projet vise d'abord à répondre aux besoins de plus en plus impérieux du Mouvement pour loger ses sièges sociaux, notamment ceux de l'Union régionale des caisses populaires de Montréal, de La Sauvegarde, de la Société de fiducie et de La Sécurité, les dirigeants ont voulu en même temps rendre Desjardins très visible à Montréal et affirmer sa présence dans le monde financier. Pour les caisses, encore souvent perçues comme des établissements de sous-sols d'église, le temps était venu de manifester leur force économique. Le complexe Desjardins allait incarner à la fois la montée rapide du Mouvement Desjardins et le savoir-faire des Québécois francophones[2].

Le complexe Desjardins occupe au centre-ville un vaste espace dans le quadrilatère des rues René-Lévesque, Jeanne-Mance, Sainte-Catherine et Saint-Urbain. Photo : Jean Blais, CCPEDQ.

Une institution financière à part entière

La création, en 1979, de la Caisse centrale Desjardins du Québec (CCD) et sa participation à l'Association canadienne des paiements permettent enfin au Mouvement Desjardins de prendre la place qui lui revient dans le système bancaire canadien et de jouir des mêmes avantages que les banques à charte.

En dépit de leur important volume d'activités, les caisses Desjardins occupaient une position très inconfortable dans le système bancaire canadien, car les lois qui le régissaient avaient été conçues uniquement en fonction des banques à charte. Les inconvénients liés à cette situation étaient nombreux : entre autres, les caisses n'avaient pas accès à la Banque du Canada ni aux chambres de compensation et elles ne pouvaient recevoir de dépôts des gouvernements. Pour s'approvisionner en numéraire ou pour faire admettre leurs chèques (appelés ordres de paiement) dans le circuit des chambres de compensation, elles devaient nécessairement négocier des ententes avec les banques.

2. « Place Desjardins inc. dans toute son ampleur », *La Revue Desjardins*, 38, 5 (1972), p. 43-50.

Dès 1939, une telle entente est conclue avec la Canadian Bankers Association, mais au cours des années 1950 l'augmentation rapide du volume des ordres de paiement de caisses indispose les banques qui se plaignent de perdre temps et argent dans les opérations de compensation. Une hausse considérable des frais exigés par les banques, en vertu des ententes concernant la compensation des effets et l'approvisionnement en monnaie allait provoquer en 1958 ce que l'on a appelé la « guerre des papillons ». La crise se dénoue en mars 1959, lorsque la Banque Provinciale du Canada propose aux caisses une entente de services exclusive à des conditions beaucoup plus acceptables ; mais l'accord ne règle pas fondamentalement le problème.

Aussi, les dirigeants du Mouvement ne cachent pas leur intention de mettre fin à cette situation de dépendance en dotant les caisses populaires d'une banque d'affaires qui leur donnerait un accès direct à la Banque du Canada et aux chambres de compensation. En 1968, avec l'appui du gouvernement québécois qui consent à autoriser les unions régionales à investir une partie de leur actif dans des actions bancaires, le Mouvement Desjardins met la main sur la majorité des actions d'une petite banque d'épargne de Québec, la Banque d'économie, qu'il convertit peu de temps après en banque à charte sous le nom de Banque Populaire.

Alfred Rouleau: fierté, dynamisme et vision

On a dit d'Alfred Rouleau qu'il est celui qui a donné une « piqûre de fierté » aux gens du Mouvement Desjardins. Le complexe Desjardins, inauguré en 1976, symbole de la réussite financière du Mouvement et du savoir-faire des Québécois francophones, doit beaucoup à Alfred Rouleau. Grâce à sa notoriété, il a su donner au Mouvement un statut d'interlocuteur de premier plan dans les grands débats de notre société. Sous sa présidence, le Mouvement Desjardins a connu une croissance remarquable et s'est engagé plus à fond dans le développement économique du Québec, notamment au moyen de l'investissement.

Né en 1915, Alfred Rouleau avait fait son entrée dans le Mouvement Desjardins en 1949 comme premier directeur général de l'Assurance-vie Desjardins. Bâtisseur et visionnaire, il apporte, au cours des années 1960, une contribution très active à la modernisation du Mouvement et au développement du réseau de sociétés filiales des caisses populaires. Son leadership le mène tout naturellement à la présidence du Mouvement Desjardins en 1972. Premier président à temps plein, il assume cette fonction jusqu'à sa retraite en 1981. Il décède le 19 octobre 1985.

La « guerre des papillons »

L'expression « guerre des papillons » désigne la réaction du Mouvement des caisses populaires à la hausse subite, en 1958, des frais exigés par les banques en vertu des ententes concernant la compensation des effets et l'approvisionnement en monnaie de papier et de métal. Les dirigeants du Mouvement élaborent alors une tactique qui consiste à inciter les membres à réduire l'usage des chèques ; ils invitent aussi les institutions et les entreprises à encaisser directement dans une caisse tous les chèques tirés sur des caisses populaires (des autocollants ou « papillons » portant ce message sont apposés sur les chèques) et à y déposer également tous leurs surplus de numéraire. La « guerre des papillons » tourne rapidement à l'avantage des caisses qui réussissent ainsi à attirer vers elles plusieurs clients des banques canadiennes-françaises et à miner du même coup la solidarité des banquiers.

En mars 1959, la Banque Provinciale du Canada agite le drapeau blanc et propose aux caisses populaires une entente de services exclusive à des conditions beaucoup plus acceptables.

Une succursale de la Banque Provinciale du Canada à l'entrée du Séminaire de Québec en 1963.
Photo : Neuville Bazin.
ANQ-Québec, E6, S7, P973-63.

Quatre sièges au conseil d'administration de la Banque Provinciale

Cependant, à la fin de 1968, on saisit également l'occasion d'acquérir un important bloc d'actions de la Banque Provinciale du Canada. Au terme de la transaction, le Mouvement Desjardins se retrouve en possession de 14,7% des actions de cette banque, une situation inattendue qui entraîne une remise en question des plans concernant la Banque Populaire. Compte tenu de l'ampleur des investissements nécessaires pour en assurer le développement, on décide plutôt de la fusionner à la Banque Provinciale. Cette fusion, qui prend effet le 3 août 1970, permet au Mouvement Desjardins de convertir ses actions de la Banque Populaire en actions de la Banque Provinciale, de porter ainsi à 26% sa part du capital-actions et d'obtenir quatre sièges au conseil d'administration. Sans détenir le contrôle de la Banque Provinciale, il se trouve maintenant en très bonne position pour influencer ses décisions et négocier des ententes de services plus avantageuses.

La restructuration du système bancaire rendue possible par la mise en place de l'Association canadienne des paiements, en 1980, et la création de la Caisse centrale Desjardins (CCD) viennent mettre un terme à cette situation de dépendance à l'égard des banques. En devenant membre de l'Association canadienne des paiements en 1981, la CCD peut désormais agir à titre d'intermédiaire du Mouvement Desjardins auprès de la Banque du Canada et y maintenir un compte pour le règlement de la compensation et l'approvisionnement en numéraire. Cette affiliation permet également à Desjardins de recevoir des dépôts du gouvernement fédéral et de participer à la planification et au développement du futur système de paiement électronique canadien (guichets automatiques, terminaux aux points de vente, etc.).

Le bras financier du Mouvement

La CCD aura aussi pour tâche de gérer les liquidités et l'encaisse des fédérations. À partir de 1995, elle ajoute à ses fonctions celle du courtage institutionnel, autrefois remplie par les Valeurs mobilières Desjardins. De son côté, Capital Desjardins inc., créé en 1995, s'occupera de la mise en marché du nouveau titre Desjardins auprès des investisseurs institutionnels.

Bras financier du Mouvement Desjardins, la Caisse centrale assure sa représentation auprès des divers intervenants dans les activités financières au Québec, au Canada et à l'étranger. La CCD doit répondre aux besoins de fonds et soutenir l'offre de services financiers internationaux des caisses. Grossiste du réseau, elle effectue en outre des émissions privées et publiques sur les marchés canadien et international et contribue ainsi à la diversification des sources d'approvisionnement de fonds du Mouvement Desjardins.

Dans un contexte de globalisation des marchés, le Mouvement Desjardins avait besoin de se doter d'un instrument financier à sa mesure. « La concurrence deviendra [...] plus vive, anticipait le président Raymond Blais, élu en 1981, et la Caisse centrale servira de fer de lance au Mouvement Desjardins dans son orientation stratégique pour les années à venir[3]. » Dès sa naissance, les dirigeants de Desjardins conçoivent la nouvelle Caisse centrale comme une « institution

3. Raymond Blais, « La Caisse centrale Desjardins du Québec », *La Revue Desjardins*, 47, 3 (1981), p. 28.

financière de grande taille pour aider les institutions coopératives de grande taille[4] ». À ses débuts, la CCD offrira également capitaux et services à la moyenne et à la grande entreprise, ainsi qu'aux organismes publics et parapublics, un créneau jusqu'alors inoccupé par Desjardins. Un repositionnement stratégique l'amènera cependant, à partir des années 1990, à délaisser le marché de la grande entreprise pour cibler davantage celui de la PME.

L'acquisition de la Laurentienne

L'accélération du processus de décloisonnement des institutions financières et l'Accord de libre-échange canado-américain, signé en 1989, modifient sensiblement l'environnement dans lequel évoluait le Mouvement Desjardins. Pour affronter la concurrence des banques à charte dans tous ses secteurs d'activité, il doit désormais se soucier de renforcer ses positions et, compte tenu de la saturation du marché québécois, une expansion à l'extérieur du Québec semble de plus en plus nécessaire. Au Canada et au Québec, une vague de restructuration dans l'industrie financière favorisant la formation de conglomérats puissants, capables de concurrencer des entreprises de taille mondiale, force Desjardins à rester à l'affût des occasions d'affaires qui lui permettraient de continuer à faire face aux défis du décloisonnement.

L'occasion se présente en 1993 lorsque le Groupe La Laurentienne est mis en vente. À la fin de l'année, le Mouvement Desjardins procède à l'acquisition d'une bonne partie des éléments d'actif de la Corporation du Groupe La Laurentienne, formé de La Laurentienne-vie, de la Banque Laurentienne (filiale de Desjardins à 55 %), de La Laurentienne Financière et de L'Imperial Life. Avec ses ramifications au Canada, aux États-Unis et au Royaume-Uni, L'Imperial Life ouvre les portes de nouveaux marchés à l'extérieur du Québec. Cette transaction fait aussi réaliser au Mouvement un bond considérable sur le plan de la croissance financière. Sur un actif cumulé de 74,7 milliards de dollars (incluant le réseau coopératif hors Québec) au 31 décembre 1993, 16,2 milliards de dollars proviennent du Groupe La Laurentienne, soit une proportion de 21,6 %. Le mariage Desjardins-Laurentienne fait passer le Mouvement du sixième au quatrième rang des institutions bancaires canadiennes, tout juste derrière la Banque de Montréal. Divers problèmes d'intégration et de développement amèneront toutefois le Mouvement Desjardins à se départir de la Banque Laurentienne à la fin d'octobre 1997.

L'acquisition de La Laurentienne-vie permet au Mouvement Desjardins de consolider sa position de principal assureur de personnes au Québec. À la part de marché de 10,7 % détenue par l'Assurance-vie Desjardins s'ajoutent maintenant les 6,9 % de La Laurentienne-vie. Pour des raisons de rentabilité, l'Assurance-vie Desjardins et La Laurentienne fusionneront leurs activités le 31 décembre 1994. La nouvelle compagnie, qui prendra le nom d'Assurance-vie Desjardins-Laurentienne (AVDL), desservira principalement le Québec, alors que le reste du pays sera couvert par L'Impériale.

4. Propos d'André Morin rapportés par Marie-Agnès Thellier dans « Les Caisses auront leur système de compensation », *Le Devoir*, 21 mars 1979.

TOUS POUR UN

Jusqu'en 1979, il y avait au Québec six regroupements de caisses d'épargne et de crédit : la Fédération de Québec des unions régionales des caisses populaires Desjardins, la Fédération de Montréal des caisses Desjardins, la Fédération des caisses d'économie du Québec, la Ligue des caisses d'économie du Québec, la Fédération des caisses d'établissement et la Fédération des caisses d'entraide économique. Avec un actif frôlant 8,8 milliards de dollars en 1978, la Fédération de Québec des unions régionales des caisses populaires était, de loin, la plus importante.

La concurrence, l'évolution rapide des technologies et les exigences en matière de capitalisation posent des défis de taille aux caisses d'épargne et de crédit. Pour demeurer concurrentielles, améliorer leur rentabilité et être en mesure d'offrir les services attendus par leurs membres, elles choisiront de regrouper leurs forces et de partager leurs services et leurs expertises au sein d'une confédération.

En novembre 1979, les 116 caisses de la Fédération des caisses d'économie du Québec (FCEQ) seront les premières à s'affilier à la Fédération de Québec des caisses populaires Desjardins qui prend alors le nom de Confédération des caisses populaires et d'économie Desjardins du Québec. Les 70 caisses affiliées à la Ligue des caisses d'économie du Québec font leur entrée dans la famille Desjardins en 1981, lorsque leur fédération est fusionnée à la FCEQ. Puis, en 1982, c'est au tour des caisses de la Fédération de Montréal des caisses Desjardins de réintégrer les rangs du Mouvement Desjardins qu'elles avaient quittés en 1945. La Confédération accueille également une partie des caisses d'établissement et des caisses d'entraide économique après la dissolution de leur fédération respective.

Les pompiers de Montréal forment l'une des plus importantes caisses d'économie Desjardins. Archives de la Caisse d'économie des pompiers de Montréal.

Cette consolidation du réseau des caisses d'épargne et de crédit englobe également les fédérations francophones de caisses populaires de l'Ontario (1989), du Manitoba (1989) et de l'Acadie (1990). Ces fédérations sont admises à titre de membres auxiliaires, ce qui leur donne accès aux mêmes services que les membres réguliers, mais sans droit de vote ni éligibilité aux fonctions administratives.

Siège social de la Fédération des caisses populaires acadiennes à Caraquet, au Nouveau-Brunswick. Fédération des caisses populaires acadiennes.

Raymond Blais: nouvelles technologies et perfectionnement de la gestion

Raymond Blais (1934-1987) a fait son entrée dans le Mouvement Desjardins en 1968, au Service de l'éducation de la fédération provinciale où il s'est taillé une réputation de formateur habile et efficace. Convaincu que le progrès des caisses devait nécessairement passer par le développement technologique, il a été un ardent promoteur du premier système informatisé des caisses. Comptable agréé de formation, il est passé ensuite à l'Union régionale de Québec où l'on requérait ses services comme directeur général, une tâche qu'il assume de 1973 jusqu'en 1981, alors qu'il est appelé à prendre la succession d'Alfred Rouleau.

Raymond Blais accède à la direction du Mouvement Desjardins le 15 avril 1981, au début d'une grave récession économique, la plus importante en fait depuis celle des années 1930. Au cours de sa présidence, il a su stimuler la réflexion sur la nécessité de mettre en place des mécanismes de gestion plus rigoureux et de renforcer la capitalisation. Il a également soutenu avec ardeur le développement technologique du Mouvement et le déploiement de ses mécanismes d'intervention financière.

Ses dernières années à la présidence sont assombries par la maladie. Il s'éteint le 3 mai 1987, cinq mois après avoir démissionné de son poste.

Raymond Blais.
Photo: Bernard Bohn, CCPEDQ.

Des structures en évolution

À partir du milieu des années 1960, la croissance financière et la multiplication des composantes du Mouvement ont entraîné d'importants problèmes de coordination. Pour assurer l'unité de pensée et d'action du Mouvement, favoriser la synergie des composantes, utiliser les ressources de façon optimale et minimiser les coûts de fonctionnement des organismes de soutien des caisses, il a fallu adapter les structures et revoir le partage des responsabilités. Cette évolution se réalise en plusieurs étapes.

Un premier jalon est posé en 1971 avec l'adoption, par l'Assemblée législative du Québec, de la Loi concernant la Fédération provinciale, qui attribue à celle-ci la responsabilité de promouvoir et de coordonner les activités de l'ensemble des composantes du Mouvement. Elle permet aux sociétés filiales de devenir membres de la fédération et de participer au processus de décisions, tout en assurant les unions régionales d'une représentation majoritaire des deux tiers, tant au conseil d'administration qu'à l'assemblée générale. Elle favorise également une plus grande centralisation en autorisant la fédération à acquérir les actions et les parts sociales des filiales et en lui donnant la possibilité d'élire un président à temps plein qui parlera désormais au nom de l'ensemble des composantes du Mouvement.

Le rapport Blais

Mais les questions de structure et de partage des responsabilités entre la fédération provinciale, les unions régionales et les filiales ne seront pas réglées pour autant. Bien au contraire. En 1979, le rapport d'un comité sur le partage des responsabilités, présidé par Raymond Blais, dresse une longue liste de problèmes dont l'existence de chevauchements dans les services offerts par la Confédération et les fédérations, un manque de collaboration entre les diverses composantes et une déficience dans les modes de financement et dans les processus de décision. Ces obstacles font en sorte que la Confédération n'a ni les ressources ni l'autorité nécessaires pour assumer efficacement ses responsabilités. Le défi auquel on fait face est de trouver le meilleur équilibre entre, d'une part, les volontés de décentralisation et les valeurs démocratiques et, d'autre part, des impératifs de coordination et d'efficacité de plus en plus impitoyables. Le président Alfred Rouleau formule ainsi les enjeux devant les délégués présents aux assemblées générales du Mouvement, en 1979: les structures décisionnelles chez Desjardins «devront s'adapter aux exigences et aux réalités de ce que nous sommes devenus, c'est-à-dire une organisation de grande taille, ayant à se mesurer dans un secteur hautement concurrentiel à des géants qui n'ont pas les mains liées par les contraintes de la démocratie coopérative, en face de décisions imminentes à prendre ou d'occasions alléchantes à ne pas manquer[5]».

Certaines recommandations du rapport Blais conduisent, au début des années 1980, à une clarification des responsabilités de la Confédération. Celle-ci sera appelée dorénavant à se concentrer sur des tâches de représentation, d'orientation et de normalisation propres à promouvoir l'image du Mouvement et à assurer son unité. Mais ce n'est qu'à partir de la fin de cette décennie, après l'arrivée de Claude Béland à la présidence, que le Mouvement Desjardins va véritablement s'attaquer aux problèmes soulignés dans le rapport Blais. Maintes fois reportées, la refonte des structures et la révision du partage des responsabilités et des processus décisionnels compteront parmi les grandes priorités du nouveau président. Au cours des années 1980, les besoins de capitalisation entraînés par la croissance rapide du Mouvement, la déréglementation du secteur financier et la concentration vont d'ailleurs exercer une forte pression à la fois sur le gouvernement et sur le Mouvement Desjardins pour que soit créé un environnement juridique plus propice à son développement.

Le « nouveau Desjardins »

Longuement attendue, la refonte de la Loi des caisses d'épargne et de crédit en 1988 va créer les conditions d'une réorganisation en profondeur de la macrostructure du Mouvement. La mise en place de quatre sociétés de portefeuille mères (une société financière, une société de services, une société d'investissement et une société immobilière), elles-mêmes à la tête de sociétés de portefeuille intermédiaires et de filiales, va permettre à la Confédération de mieux orienter les forces, d'instaurer une mentalité réseau et de créer davantage de synergie entre ses composantes. Grâce aux sociétés de portefeuille, il sera maintenant possible de procéder à des recherches de capitaux sur les marchés financiers et d'augmenter la capitalisation des filiales, tout en garantissant leur contrôle par les caisses Desjardins. Autre changement notable, le «nouveau Desjardins» fait aussi une distinction très nette entre le mouvement coopératif et son réseau de filiales. L'exclusion des représentants des sociétés filiales du conseil d'administration de la Confédération témoigne d'une intention claire de laisser les grandes orientations du Mouvement entre les mains des dirigeants des caisses.

En 1994, une refonte de la structure organisationnelle de la Confédération vient renforcer cette tendance. Deux niveaux décisionnels sont alors créés: une instance législative, le conseil d'administration, responsable de la direction et de l'orientation et une instance exécutive, le comité des directeurs généraux, chargée des opérations et de la coordination. Ces modifications aboutissent en fait à une séparation plus

5. Extrait d'un discours d'Alfred Rouleau rapporté dans « Le Mouvement Desjardins et l'évaluation de ses limites », *Le Soleil*, 21 mars 1979.

Les délégués au XVIe Congrès des dirigeants, tenu à Montréal en 1996, abolissent la commission de crédit de la caisse et redéfinissent le rôle des élus.
Photo : Ghislain DesRosiers, CCPEDQ.

marquée des composantes « association coopérative » et « entreprise » du Mouvement, et à une augmentation du poids des membres au niveau décisionnel.

Abolition de la commission de crédit

Plus récemment, d'importantes réflexions, menées dans une perspective d'efficacité organisationnelle et de réduction des coûts, ont déjà entraîné et entraîneront au cours des prochaines années, des modifications considérables dans les structures mises en place par Alphonse Desjardins et ses successeurs immédiats. D'abord, en 1996, la commission de crédit est abolie au sein de la caisse et on procède à un nouveau partage des rôles et des responsabilités entre les dirigeants élus et les salariés en matière de crédit. L'exercice conduira également à un renforcement du rôle des dirigeants élus dans la caisse, grâce à une meilleure canalisation de leur savoir-faire.

D'autres changements appréciables découlent du XVIIe Congrès des dirigeants et dirigeantes des caisses Desjardins, tenu au mois de mars 1999, où les quelque 2825 délégués ont eu à se prononcer sur le processus décisionnel en vigueur dans le Mouvement Desjardins et sur la reconfiguration des organismes de soutien des caisses. Au cours de cette rencontre d'orientation, la majorité des délégués ont exprimé leur préférence pour un scénario privilégiant la mise en place d'une seule fédération regroupant toutes les caisses du Québec. Ils ont aussi donné leur accord à une révision du processus décisionnel qui aura pour effet notamment de rendre exécutoires les décisions prises au niveau de la direction du Mouvement.

Une fédération unique

Le 1er octobre 1999, un comité ayant reçu le mandat d'étudier les conséquences et les coûts de différents scénarios de refonte des organismes de soutien recommandait le regroupement des fédérations actuelles et de la Confédération en une seule entité. Le 4 décembre 1999, les délégués des caisses réunis en assemblées générales extraordinaires de leurs fédérations ont voté globalement, dans une proportion de 88 %, en faveur de cette recommandation. Pour leur part, les délégués de la Fédération des caisses d'économie ont enregistré un vote de dissidence, se prononçant à 95 % contre le projet de fédération unique. Le projet de restructuration a également été contesté par des membres et des dirigeants de caisses qui voyaient dans cette centralisation du pouvoir de décision une menace à la nature coopérative des caisses et qui estimaient essentiel que les changements proposés soient soumis à l'approbation des membres.

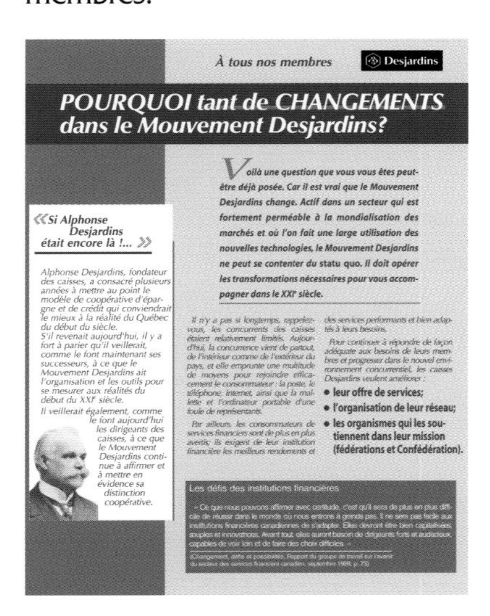

À tous nos membres — Desjardins

POURQUOI tant de CHANGEMENTS dans le Mouvement Desjardins?

Voilà une question que vous vous êtes peut-être déjà posée. Car il est vrai que le Mouvement Desjardins change. Actif dans un secteur qui est fortement perméable à la mondialisation des marchés et où l'on fait une large utilisation des nouvelles technologies, le Mouvement Desjardins ne peut se contenter du statu quo. Il doit opérer les transformations nécessaires pour vous accompagner dans le XXIe siècle.

« Si Alphonse Desjardins était encore là !... »

Alphonse Desjardins, fondateur des caisses, a consacré plusieurs années à mettre au point le modèle de coopérative d'épargne et de crédit qui conviendrait le mieux à la réalité du Québec du début du siècle.
S'il revenait aujourd'hui, il y a fort à parier qu'il veillerait, comme le font maintenant ses successeurs, à ce que le Mouvement Desjardins ait l'organisation et les outils pour se mesurer aux réalités du début du XXIe siècle.
Il veillerait également, comme le font aujourd'hui les dirigeants des caisses, à ce que le Mouvement Desjardins continue à affirmer et à mettre en évidence sa distinction coopérative.

Il n'y a pas si longtemps, rappelez-vous, les concurrents des caisses étaient relativement limités. Aujourd'hui, la concurrence vient de partout, de l'intérieur comme de l'extérieur du pays, et elle emprunte une multitude de moyens pour rejoindre efficacement le consommateur : la poste, le téléphone, internet, ainsi que la mallette et l'ordinateur portable d'une foule de représentants.

Par ailleurs, les consommateurs de services financiers sont de plus en plus avertis; ils exigent de leur institution financière les meilleurs rendements et des services performants et bien adaptés à leurs besoins.

Pour continuer à répondre de façon adéquate aux besoins de leurs membres et progresser dans le nouvel environnement concurrentiel, les caisses Desjardins veulent améliorer :

- **leur offre de services;**
- **l'organisation de leur réseau;**
- **les organismes qui les soutiennent dans leur mission (fédérations et Confédération).**

Les défis des institutions financières

« Ce que nous pouvons affirmer avec certitude, c'est qu'il sera de plus en plus difficile de réussir dans le monde où nous entrons à grands pas. Il ne sera pas facile aux institutions financières canadiennes de s'adapter. Elles devront être bien capitalisées, souples et innovatrices. Avant tout, elles auront besoin de dirigeants forts et audacieux, capables de voir loin et de faire des choix difficiles. »

(Changement, défis et possibilités. Rapport du groupe de travail sur l'avenir du secteur des services financiers canadien, septembre 1998, p. 73)

Bulletin publié par le comité de révision des structures en 1999.
CCPEDQ.

Le débat autonomie/centralisation qui a ponctué plusieurs des grands moments de l'histoire du Mouvement, depuis le jour où Alphonse Desjardins a proposé aux caisses de se regrouper au sein d'une fédération, refaisait encore une fois surface. Où s'arrête l'autonomie ? Où commence la solidarité qui entraîne la délégation de certains pouvoirs et l'acceptation de normes fixées par les organisations fédératives ? Au cours du siècle, la ligne de démarcation a été maintes fois déplacée pour faire une place plus grande à la solidarité et, du même coup, à la centralisation. Des impératifs reliés à la sécurité financière, à la rigueur administrative, au besoin d'une certaine uniformisation des services et des modes de gestion en réseau ou encore, comme c'est le cas aujourd'hui, à la rentabilité et à l'efficacité ont conduit à l'adoption, par les fédérations ou la Confédération, de règlements ou de normes qui ont souvent reçu une sanction juridique.

Ainsi, dès 1925, pour des raisons de sécurité, une loi votée à la demande des unions régionales rendait obligatoire l'inspection annuelle des livres de la caisse. En 1963, la Loi des caisses d'épargne et de crédit venait sanctionner plusieurs règlements adoptés par les unions régionales après la Seconde Guerre mondiale, dans le but de consolider le réseau des caisses. L'un d'eux obligeait les caisses à respecter le taux de liquidité de l'actif fixé par leur union régionale. En 1999, pour donner au Mouvement Desjardins plus de cohésion et plus de souplesse, les dirigeants de caisses ont consenti majoritairement à reconnaître le caractère exécutoire des décisions qui relèvent de la compétence de la Confédération, et d'appliquer, en conséquence, les normes minimales et maximales qu'elle juge adéquates en matière de frais de services ou de taux d'intérêt. Dans l'espoir de réduire les coûts des organismes de soutien, ils ont opté par la même occasion pour la mise en place d'une fédération unique.

En faisant ces choix jugés indispensables pour préparer le Mouvement à entrer dans le XXIe siècle, à tirer son épingle du jeu dans un contexte de forte concurrence et de transformation rapide, les dirigeants de caisses n'ont pas manqué de réaffirmer leur volonté de préserver son caractère coopératif, démocratique et populaire. Le rapport final du congrès fait état de fortes préoccupations en ce sens[6].

Séance d'information en mode virtuel sur la création d'une fédération unique, le 4 décembre 1999. Sur la photo du haut, on reconnaît Jocelyn Proteau, président et chef de la direction de la Fédération de Montréal et de l'Ouest-du-Québec.
Photo : Patrick McKoy, CCPEDQ.

6. « XVIIe Congrès. Le temps d'agir. Rapport final des assises du 19 mars 1999 », *La Revue Desjardins*, 65, 3 (1999).

Le poids du Mouvement Desjardins, ce n'est pas celui d'une masse inerte et monolithique, c'est plutôt celui d'une pression exercée librement et démocratiquement par des milliers de libertés tendues vers le même objectif.

Claude Béland

CHAPITRE 11

À l'avant-garde de l'informatique bancaire

Au cours des trente dernières années, les caisses Desjardins ont dû s'adapter à un environnement en perpétuel changement. La croissance financière et les impératifs de la gestion et de la capitalisation, l'utilisation de nouvelles technologies, l'accroissement et la diversification de la concurrence, le développement d'une offre de services décloisonnés, plus personnalisée et mieux adaptée aux besoins, sont autant de facteurs qui ont contribué à façonner la caisse de l'an 2000. Dans ce processus de changement, le Mouvement Desjardins a fait preuve de dynamisme et s'est signalé à plusieurs reprises par des innovations marquantes liées aux nouvelles technologies.

Le nouveau visage de la caisse

En 1967, la révision de la Loi des banques, qui autorise les banques à faire des prêts hypothécaires ordinaires et qui abolit le plafond de 6% sur leurs taux d'intérêt, soumet les caisses à des règles du jeu plus contraignantes. Elles devront désormais affronter une concurrence beaucoup plus vive qui les forcera à raffiner leurs pratiques en matière de gestion et à surveiller de plus près leur rentabilité. Dans les années 1980 et 1990, le contexte de mondialisation des marchés et de déréglementation des institutions financières vient également exercer de nouvelles pressions en ce sens.

La croissance financière de la décennie 1960-1970 entraîne une véritable mutation des caisses, qui passent rapidement d'un stade plus ou moins artisanal à celui qui caractérise l'organisation des établissements financiers modernes. Déjà amorcé dans les caisses urbaines et les grosses caisses rurales, le processus connaît une accélération et s'étend à une grande partie du réseau. Il se manifeste notamment par la

L'édifice de la Caisse populaire Notre-Dame-du-Chemin à Québec, érigé en 1963. *Architecture, bâtiment, construction* (décembre 1963).

modernisation des locaux, la construction de nouveaux édifices, le recrutement de personnel qualifié et la professionnalisation de la fonction de gérant, dont les responsabilités vont devenir de plus en plus importantes, particulièrement en matière de crédit. Pendant ce temps, les caisses s'adaptent également aux valeurs d'une société pluraliste et abandonnent progressivement leur caractère confessionnel.

C'est aussi durant les années 1960 que l'augmentation du volume d'activité des caisses commence à poser de sérieux problèmes sur le plan de la gestion. Pour y remédier, des caisses vont s'équiper de machines comptables mécaniques ou semi-électroniques qui effectuent certaines tâches. Mais leur coût élevé, entre autres, amène les dirigeants du Mouvement Desjardins à se tourner rapidement vers les possibilités offertes par les nouveaux systèmes de télétraitement par ordinateur. Un système de télétraitement en temps réel, conçu en collaboration avec la compagnie Burrough's, sera mis à l'essai à l'occasion de l'Exposition universelle de Montréal, dans la Caisse de l'Expo 67. La réussite de cette première mondiale va entraîner une cascade d'innovations technologiques qui changeront le visage des caisses de manière irréversible.

Un système révolutionnaire

Le 3 juillet 1969, la fédération provinciale signe avec la compagnie IBM, un contrat de plus de sept millions de dollars pour la mise en service d'un système universel de télétraitement des données. La compagnie IBM aura pour tâche de concevoir des ordinateurs assez puissants pour soutenir l'activité du réseau des caisses et de les programmer en fonction du Système intégré des caisses (SIC) conçu par la fédération. Ce système révolutionnaire, dont la caractéristique fondamentale est de permettre le télétraitement de toutes les opérations du grand-livre général, procurera au Mouvement Desjardins une avance technologique de plusieurs années sur les banques. Il s'agit en fait d'une première mondiale, car aucune institution financière n'avait réussi jusque-là à automatiser toutes les opérations du cycle comptable.

Inauguré le 13 avril 1970, le nouveau système de télétraitement détient aussi la clé d'une autre percée technologique marquante : l'intercaisses, qui permettra l'accès direct des membres à leurs comptes, à partir de n'importe quelle caisse reliée au réseau. L'expérimentation du système aura lieu parmi un groupe de caisses de Sainte-Foy, à compter d'octobre 1972, mais son véritable coup d'envoi sera donné le 2 juin 1975, après plusieurs mois de rodage et l'extension du service à l'ensemble de la province. Comme le soulignait le président Alfred Rouleau, lors du lancement du système Intercaisses, cette nouvelle application illustre la volonté de Desjardins de s'« engager à fond et de façon irréversible dans le traitement informatique [des] données et de [se] préparer activement au monde des transactions financières de demain[1] ».

Les pavillons des États-Unis et de l'URSS à Expo 67.
CCPEDQ.

La Caisse populaire de l'Expo 67 où ont eu lieu les premières expériences de télétraitement informatique.
CCPEDQ.

1. Gilles Boivin, « Première nord-américaine. L'intercaisses relie 400 caisses populaires et leurs 2,1 millions de membres au Québec », *Le Soleil*, 3 juin 1975.

Période de grande ébullition dans le monde financier canadien, les années 1970 annoncent d'importantes transformations technologiques et l'on se prépare fébrilement à la future « société sans monnaie », une expression qui réfère en réalité à la « monnaie de plastique ». Plusieurs étapes restent cependant à franchir avant qu'il soit possible de mettre en pratique ce nouveau mode de paiement et les développements technologiques nécessaires ne se feront qu'au cours de la décennie suivante. En participant à la mise au point des systèmes de transferts électroniques de fonds et en contribuant à l'élaboration du nouveau système canadien des paiements mis sur pied en 1981, tout comme à la création, en 1984, de l'Association Interac, dont il est l'un des initiateurs, le Mouvement Desjardins se positionne à nouveau comme leader dans le domaine informatique.

1981 : LES PREMIERS GUICHETS AUTOMATIQUES

Les premiers guichets automatiques Desjardins feront leur apparition en 1981 dans la région de Trois-Rivières. Ce nouvel outil, qui rend la caisse encore plus accessible, va connaître un succès rapide et croissant, à mesure de ses développements. L'un des plus importants sera la mise en lien des guichets Desjardins, au milieu des années 1980, avec les réseaux Interac, Visa international et Plus, qui permet aux membres d'effectuer des transactions en plusieurs endroits dans le monde, dont, dès le début, le Canada, les États-Unis, l'Angleterre et le Japon. C'est à partir d'un guichet Desjardins que sera effectuée, le 14 avril 1986, la première transaction canadienne sur le réseau Interac des guichets automatiques en mode partagé.

En 1988, Desjardins sera la première institution financière au Québec à installer des terminaux dans des commerces afin de vérifier la capacité de la carte de débit à remplacer efficacement la monnaie et le chèque pour le règlement d'achats par un transfert électronique de fonds. Le service sera en fonction dès 1989. En 1990, le Paiement direct Desjardins dispose de quelque 6 600 terminaux au Québec et en Ontario (pour 5 500 marchands environ), et effectue mensuellement 600 000 transactions en moyenne. Il s'agit du plus important réseau de paiement électronique et de carte de débit au Canada. Plus récemment, Desjardins mettait à l'essai une nouvelle application de la monnaie de plastique : le porte-monnaie électronique Mondex Desjardins qui consiste en une carte à puce électronique rechargeable permettant d'emmagasiner de l'argent électronique. Ce nouvel outil, expérimenté en 1999, vise à rendre les transactions au comptant plus pratiques pour payer les petits achats de tous les jours impossibles à régler avec les cartes de débit ou de crédit.

Mais l'événement probablement le plus attendu de cette révolution informatique des trente dernières années est ce que l'on a appelé le *home banking*. Toujours à l'avant-garde, Desjardins sera la première institution de services financiers à entrouvrir la porte de la « caisse à domicile », en s'associant à Bell Canada et son réseau télématique Alex en 1988. Le véritable acte de naissance de la caisse virtuelle sera toutefois signé en 1996, avec le lancement du service Accès D – auquel on accède par Internet ou par téléphone –, conçu comme véritable voie d'avenir de la « caisse à domicile ». En plus d'avoir immédiatement à l'écran de leur ordinateur personnel le relevé de leurs transactions

Les ordinateurs du Système intégré des caisses (SIC). CCPEDQ.

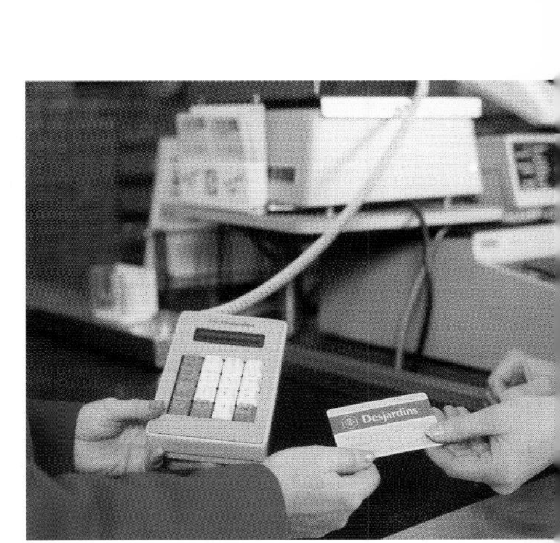

Paiement direct Desjardins est le plus important réseau de paiement électronique et de carte de débit au Canada. Photo : Pierre Brault, CCPEDQ.

Le projet pilote de carte à puce Mondex, auquel Desjardins participe activement, s'est déroulé à Sherbrooke, en 1999. Photo : Martin Blache, CCPEDQ.

Depuis 1996, les membres peuvent faire leurs transactions en mode virtuel, grâce au nouveau service Accès D. Photo : Patrick McKoy, CCPEDQ.

courantes et le relevé de leur compte Visa, les utilisateurs du service Accès D ont la possibilité de faire une demande d'emprunt, de rembourser leur marge de crédit personnelle et même d'acheter des fonds communs de placement et des produits d'assurance.

Tous ces changements technologiques, et particulièrement ceux qui sont survenus depuis le tournant des années 1980, vont entraîner un nouveau type de relation entre la caisse et ses membres. La diminution des services de convenance à partir de 1976, l'usage de plus en plus répandu des services automatisés de libre-service (guichets automatiques, Paiement direct, Accès D) et la diversification des produits financiers figurent parmi les éléments ayant motivé un remodelage de la caisse populaire et le lancement, en 1994, d'un vaste projet de réingénierie axé sur une offre intégrée de produits décloisonnés et une nouvelle approche « membre » plus efficace et personnalisée.

Commodité, efficacité et rapidité des services de convenance, amélioration des services conseils, adaptation de la caisse aux nouveaux besoins des membres : tous ces motifs ont provoqué la transformation profonde et accélérée des caisses depuis trente ans. Ces changements ont aussi contribué de façon très significative à l'atteinte d'un objectif capital : celui de la rentabilité. Devenue le talon d'Achille des caisses Desjardins, particulièrement depuis le rehaussement des exigences des agences de notation durant les années 1990, la rentabilité fait l'objet d'une attention spéciale. Les caisses, dont les frais d'exploitation étaient les plus élevés de l'industrie, avaient un important rattrapage à faire pour rester dans la course. Le développement des services automatisés et la révision des processus d'affaires entrepris dans le contexte de la réingénierie, les regroupements de caisses et la création d'une fédération unique et de bureaux régionaux qui remplaceront les fédérations régionales sont autant de moyens qui visent à diminuer les coûts d'exploitation des caisses.

La carte de crédit

L'adoption de la nouveauté ne se fait pas toujours sans heurts, surtout lorsqu'elle remet en question des valeurs que l'on tient à protéger. Ainsi, c'est avec de fortes réticences et à la suite de débats très animés que le Mouvement Desjardins a décidé d'offrir à ses membres la carte de crédit. C'est en 1968 que, pour la première fois au Canada, des banques s'associent à une institution émettrice de carte de crédit (Chargex). L'initiative s'inscrivait dans un contexte d'internationalisation de l'activité économique et de mouvement rapide des biens, des personnes et des capitaux. Au Mouvement Desjardins, la question de la carte de crédit fut posée pour la première fois en 1969, lors d'un congrès régional de caisses populaires à Rimouski.

La réingénierie des processus d'affaires concentre l'ensemble des opérations de la caisse sur les besoins financiers du membre.
CCPEDQ.

Par la suite, pendant plus de cinq ans, la carte de crédit suscitera des réflexions, des recherches, des sondages et des consultations qui mettront au grand jour les opinions divergentes qui avaient cours à ce sujet, tant au sein du Mouvement Desjardins que dans la population. « Demeurer fidèles aux objectifs de la Caisse populaire tout en restant sensibles aux changements[2] », tel était le dilemme dans lequel le Mouvement s'est retrouvé pour prendre une décision. Le 18 février 1975, le conseil d'administration de la Fédération provinciale a mis fin à ces hésitations en opposant un non catégorique à tout projet d'émission de carte de crédit Desjardins ou d'entente avec l'une ou l'autre des institutions déjà associées avec Chargex ou Master Charge. Président du Mouvement, Alfred Rouleau justifiait la décision de la fédération en ces termes : « Nous voulons aller de l'avant avec un système de paiement mais nous ne voulons pas participer à l'inflation et pousser la consommation avec la carte de crédit[3] ».

Un tout nouveau contexte incitera le Mouvement Desjardins à revenir sur ses positions lorsque s'offrira, en 1981, l'occasion d'acheter la franchise Visa mise en vente par la Banque Nationale du Canada. Le développement d'attitudes plus critiques à l'égard de la consommation, une meilleure protection juridique du consommateur, l'évolution accélérée des divers systèmes de paiement, et la tendance à l'adoption de comportements nouveaux par les détenteurs de cartes de crédit, qui l'utilisent de plus en plus à la manière d'une carte de paiement, vont cette fois-ci faire pencher la balance du côté de la carte de crédit. Après plusieurs années d'hésitation, Desjardins fait l'acquisition de la franchise Visa au mois de mai 1981 puis crée, pour chapeauter l'organisation, le Centre Desjardins de traitement de cartes inc. (CDTC).

Dans ce cheminement vers la monnaie de plastique, ce qui avait surtout ralenti le Mouvement Desjardins, c'était la difficulté de concilier les impératifs d'adaptation aux besoins changeants de la population avec son engagement en faveur de l'éducation économique des membres. À l'aube des années 1980, la carte de crédit était vue par les dirigeants de Desjardins comme une solution de compromis intéressante pour accéder aux nouveaux modes de transferts électroniques de fonds, compte tenu de l'évolution du comportement des consommateurs et de la valeur d'un tel outil pour pénétrer les grands réseaux canadien et international des paiements électroniques, en devenant membre de l'Association canadienne de la carte bancaire et de son réseau d'autorisation. En dotant, dès 1985, son réseau commercial de terminaux au point de vente (TPV), un système informatisé de vérification des cartes de crédit qui réduit les pertes dues aux mauvaises créances et le temps d'attente des clients, Desjardins préparait en même temps l'avènement de la carte de débit et du service Paiement direct, à compter de 1989. Pour les caisses, l'une des importantes retombées de l'acquisition de la carte Visa sera l'établissement d'un nouveau lien d'affaire avec les marchands, permis par l'implantation des TPV qui offre à ces derniers un service commode tout à fait nouveau.

C'est en 1981 que Visa fait son entrée dans la grande famille Desjardins.
CCPEDQ.

2. Fédération de Québec des caisses populaires Desjardins, *Rapport annuel 1974*, p. 7.

3. Normand Lassonde, « Le Mouvement Desjardins rejette la carte de crédit », *La Presse*, 11 mars 1975.

Chaque personne participe à une même nature raisonnable, donc libre et responsable, et est égale devant la loi. C'est l'égalité de nature, c'est l'égalité sociale, c'est l'égalité des droits reconnus de la personne humaine, des citoyens dans une société civilisée. C'est ce principe qui est à la base même, qui est de l'essence même de la coopération […].

Paul-Émile Charron,
directeur général de
la fédération provinciale
(1969-1973), puis secrétaire
général et adjoint
au président du Mouvement
Desjardins (1973-1979).

CHAPITRE 12

Un partenaire du développement

Considéré comme l'un des piliers de l'économie québécoise, le Mouvement Desjardins fait face, depuis longtemps, à de grandes attentes au sein de la population. Ainsi, au début des années 1970, il est soumis à de fortes pressions de la part de nationalistes, de syndicalistes, d'universitaires et de journalistes qui veulent le voir prendre une part plus active dans le développement économique et social. « On rêve du jour, écrit l'éditorialiste Claude Ryan en mars 1972, où l'activité des caisses pourra trouver un prolongement normal dans le secteur de l'industrie et du commerce[1]. » Jusque-là, l'expansion du Mouvement s'était réalisée essentiellement par l'acquisition et le développement d'entreprises rattachées au secteur financier. Exception faite des investissements dans la Société générale de financement du Québec, sa participation au développement industriel demeurait assez mince. Au cours des années 1970, de nouveaux rapports avec l'État québécois et la mise sur pied de la Société d'investissement Desjardins fourniront au Mouvement Desjardins les outils nécessaires pour étendre son action dans le développement économique et social du milieu. Il s'affirmera ainsi comme l'un des grands acteurs du « modèle québécois de développement[2] ».

Michel Chartrand et Claude Ryan participant au xe Congrès des caisses Desjardins à Montréal, en 1967. CCPEDQ.

Un nouveau partenariat avec l'État

Durant les années 1960, le Mouvement Desjardins avait déjà participé, de concert avec le gouvernement du Québec, à des organismes comme le Conseil d'orientation économique et la Société générale de financement qui voulaient

1. Claude Ryan, « Le mouvement Desjardins à un nouveau carrefour », *Le Devoir*, 17 mars 1972, p. 14.
2. Jean-Pierre Dupuis, « La place et le rôle du Mouvement Desjardins dans le modèle québécois de développement économique », dans Benoît Lévesque (dir.), *Desjardins : une entreprise et un mouvement ?*, Sainte-Foy, Presses de l'Université du Québec, 1997, p. 211-217.

En 1977, le gouvernement de René Lévesque crée la Société de développement coopératif dans le but d'appuyer la formation et l'expansion des entreprises coopératives. Photo : Parti québécois, photographe anonyme. Tirée de Lise Payette, *Des femmes d'honneur*, tome 2, Montréal, Libre Expression, 1998.

stimuler la création et le développement d'entreprises québécoises d'envergure. Dans la décennie suivante, il s'associera avec le gouvernement pour la mise en chantier de divers plans de développement économique. En juin 1971, le projet de construction du complexe Desjardins et la création de la société mixte Place Desjardins inc. fournissent l'occasion d'un premier partenariat dans le domaine immobilier. Mais c'est surtout à partir de 1976, avec l'arrivée au pouvoir du Parti québécois – dont le programme économique reconnaît l'intérêt particulier de la formule coopérative –, qu'est donné le véritable coup d'envoi à une période de concertation plus intense entre l'État et le Mouvement Desjardins.

Le gouvernement de René Lévesque reprendra tout d'abord un projet resté en plan depuis le début de la décennie, en créant la Société de développement coopératif (SDC), en 1977, pour appuyer la formation et l'expansion des entreprises coopératives. Le Mouvement Desjardins est étroitement associé à la SDC, puisqu'il fournit 84 % du financement accordé à cet organisme par le secteur coopératif. La même année, le gouvernement invite le Mouvement Desjardins à participer au premier Sommet économique du Québec, une expérience de concertation d'envergure, réunissant à une même table les grandes institutions socio-économiques (syndicats, patronat, gouvernement, Mouvement Desjardins), en vue d'élaborer et de mettre en œuvre des stratégies communes de développement. Applaudissant à cette initiative, Alfred Rouleau soulignera que « c'est la première fois dans l'histoire du Mouvement Desjardins que le gouvernement du Québec lui fait une invitation qui reconnaît l'importance de son rôle[3] ». Mais c'est surtout au lendemain du second Sommet économique, tenu en avril 1982, sous le thème de la relance de l'emploi, que l'on verra apparaître les premiers résultats concrets de cette concertation. Dans la foulée de ce sommet, le Mouvement Desjardins donne un appui décisif au programme Corvée-Habitation qui s'est fixé pour objectif de construire plus de 50 000 nouveaux logements. Il s'engage également dans deux autres programmes gouvernementaux d'habitation, soit Logipop et Loginove, qui visent à soutenir la rénovation résidentielle par des particuliers, des coopératives et des organismes à but non lucratif[4].

La concertation entre l'État québécois et les caisses pour le développement économique va se réaliser également par le truchement des filiales Desjardins. Citons, à titre d'exemple, les investissement de la Caisse de dépôt et placement du Québec dans la Société d'investissement Desjardins, l'achat par la Caisse centrale Desjardins d'obligations du Québec, et l'offre de services de cette dernière aux entreprises et aux institutions québécoises[5].

3. « Le Mouvement Desjardins devra se rajuster pour aider l'entreprise coopérative (Rouleau) », *Le Devoir*, 9 mars 1977.
4. Jean-Pierre Dupuis, *loc. cit.* , p. 211-217 ; Benoît Lévesque et Marie-Claire Malo, « Vue d'ensemble du Mouvement Desjardins en 1996 », dans *Desjardins et la réingénierie, colloque syndical*, Québec*, 10, 11 et 12 mars 1997*, p. 12-13 ; Gilles Paquet, « Desjardins et Québec Inc. : un avenir incertain ? », dans Benoît Lévesque (dir.), *op. cit.*, p. 178-181.
5. Benoît Lévesque et Marie-Claire Malo, « Vue d'ensemble du Mouvement Desjardins en 1996 », p. 13 ; Jacques Forget, « Le nouveau pouvoir québécois 2) Société d'État, grandes entreprises et Mouvement Desjardins : la nécessaire convergence », *Finance*, 20 avril 1981.

La Société d'investissement Desjardins

Au cours des années 1960, la croissance continue du Mouvement Desjardins et la place de plus en plus grande qu'il occupe dans la gestion de l'épargne québécoise poussent les dirigeants à s'interroger sur sa contribution au développement des entreprises et à la création d'emploi. La question de l'investissement industriel retient l'attention des participants aux congrès des caisses populaires de 1967 et 1970. À chaque occasion, des demandes sont formulées afin que le gouvernement du Québec accorde aux caisses les pouvoirs dont elles ont besoin pour élargir leur champ d'action. En 1969, la direction du Mouvement Desjardins mandate un comité, sous la présidence de A.-Hervé Hébert, pour réaliser une étude sur les investissements du Mouvement Desjardins. Celle-ci mènera à la création, en décembre 1971, de la Société d'investissement Desjardins, dont la mission sera de former et d'administrer un fonds d'investissement et de placement en vue d'établir et de développer des entreprises industrielles et commerciales. Cet instrument, qui consacre la nouvelle vocation économique du Mouvement Desjardins, rendra possible l'action concertée des unions régionales et des sociétés filiales dans le domaine de l'investissement. Il leur permettra de s'associer, de former une concentration de capitaux et de poser des gestes d'envergure qui auront des répercussions notables dans l'économie québécoise. Pour le Mouvement Desjardins, traditionnellement tourné vers les communautés locales, il s'agit là d'un important coup de barre.

La société n'entrera en activité qu'en 1974. Pendant plus de deux ans, les dirigeants de la fédération provinciale consulteront les caisses populaires et des spécialistes de l'investissement afin de définir les meilleures orientations et d'éviter les faux pas. Au cours de sa première décennie d'activité, la Société d'investissement Desjardins (SID) contribue au succès de quelques entreprises québécoises comme Sico, Canam Manac, Venmar et surtout Culinar qui connaît une croissance très rapide. Dès 1975, la SID délaisse le prêt industriel et commercial pour se consacrer exclusivement à l'investissement. Elle crée alors Profin qui deviendra Crédit industriel Desjardins en 1976. Au début des années 1990, la SID compte des participations financières dans 23 compagnies qui emploient près de 14 000 personnes et dont le chiffre d'affaires global atteint près de 2 milliards.

Affectée par le climat de récession économique, la SID traverse ensuite une période difficile qui l'amène à se repositionner. Depuis 1995, Investissement Desjardins favorise les secteurs de la nouvelle économie et investit des sommes moins importantes dans des entreprises de taille plus modeste. Cette société détient aujourd'hui des participations dans une trentaine d'entreprises, dont plus de la moitié sont actives dans les secteurs prometteurs des logiciels, des télécommunications, de la santé et du multimédia. De concert avec les fédérations régionales de caisses populaires, Investissement Desjardins participe à la création d'un réseau de fonds d'investissements régionaux pour soutenir la croissance des petites entreprises. À la fin de 1999, cinq fonds d'investissement totalisant plus de 40 millions étaient en activité dans les régions du Saguenay–Lac-Saint-Jean, de Montréal, de l'Estrie, de Richelieu-Yamaska et du Bas-Saint-Laurent.

La coopérative de services de santé Les Grès a été mise sur pied grâce à l'engagement de la Caisse de Saint-Étienne-des-Grès. Josée Lampron, administratrice de la caisse, en est la présidente.
Photo : Gilles Fortier, CCPEDQ.

La caisse dans son milieu

Inspirées par une mission qui les engage à « contribuer au mieux-être économique et social des personnes et des collectivités », les caisses Desjardins manifestent de plusieurs façons leur solidarité avec le milieu. En 1998, elles ont retourné à la communauté, en dons et commandites, une somme totalisant quelque 9,3 millions de dollars – un ratio beaucoup plus élevé que celui qui est réinvesti par la plupart des grandes sociétés – afin d'améliorer les conditions de vie dans leur milieu. Seules ou regroupées par secteur, les caisses soutiennent techniquement et financièrement une panoplie de projets, de manifestations et d'organisations sociales, culturelles et sportives. Elles sont associées à la mise sur pied d'un centre communautaire, d'un comptoir alimentaire ou d'une garderie, à la création d'un centre de premier recours pour les gens dans le besoin, à la construction de foyers adaptés, au parrainage de salons, à la tenue de compétitions sportives, à un don d'urgence à la suite d'une fermeture d'entreprise, etc.

La mission du Mouvement Desjardins

La progression financière du Mouvement Desjardins, la diversification de ses activités et la multiplication de ses composantes ont fait naître, au début des années 1980, le besoin d'une meilleure planification. À cette fin, on entreprit tout d'abord, à l'automne 1983, de définir clairement sa mission. Bien sûr, le Mouvement Desjardins avait toujours eu une mission, maintes fois explicitée par Alphonse Desjardins et rappelée ensuite par ses successeurs. Mais, au stade de développement où en était rendu le Mouvement Desjardins, il était devenu impératif de s'entendre sur une formulation précise et de la faire connaître. L'énoncé a été légèrement retouché en 1995 pour prendre en considération le réseau de sociétés filiales. Il se lit ainsi :

Le Mouvement Desjardins a pour mission de contribuer au mieux-être économique et social des personnes et des collectivités, dans les limites compatibles de son champ d'action :

- *en développant un réseau coopératif intégré de services financiers sécuritaires et rentables, sur une base permanente, propriété des membres et administré par eux et un réseau d'entreprises financières complémentaires, à rendement concurrentiel et contrôlé par eux ;*
- *en faisant l'éducation à la démocratie, à l'économie, à la solidarité et à la responsabilité individuelle et collective, particulièrement auprès de ses membres, de ses dirigeants et de ses employés.*

Variés et originaux, ces exemples, même s'ils ne défraient pas toujours la manchette, illustrent l'engagement des caisses dans leur communauté. Certains engagements exigent toutefois qu'elles se regroupent sur le plan national pour agir plus efficacement. C'est le cas notamment lorsqu'il s'agit de distribuer des secours d'urgence aux collectivités victimes de sinistres, de contribuer aux grands organismes nationaux de charité, de commanditer des événements culturels d'envergure, d'accorder des dons aux grandes institutions d'enseignement ou de participer à des projets touchant une portion importante de territoire.

Les caisses fournissent également un appui significatif au développement économique local et régional, non seulement par l'entremise du crédit agricole et du crédit commercial et industriel – qui a pris une expansion remarquable durant la décennie 1980-1990 – mais aussi par des dons et des appuis techniques à des projets variés, allant de la consolidation de coopératives locales à l'aide aux jeunes entrepreneurs, de la mise sur pied de coopératives d'habitation à l'amélioration de l'environnement dans les quartiers. Là aussi, de nombreuses interventions se réalisent par l'intermédiaire de regroupements sectoriels de caisses ou au niveau des fédérations régionales.

Plusieurs caisses contribuent d'ailleurs à des fonds de développement local ou régional. Le plus ancien fonds géré par une fédération de caisses est le Fonds d'investissement et de développement de la Fédération des caisses populaires du Bas-Saint-Laurent. Créé en 1973, il a investi, au cours de ses cinq premières années, 275 610 $ dans huit entreprises ; en 1998, il avait injecté 3,1 millions dans 39 entreprises. Une forte proportion de ses investissements est allée à la PME agroforestière, un secteur clé de l'économie régionale. Les investissements dans l'usine de Cascades à Cabano, dans les Impressions des Associés à Rimouski, dans la société Cogema, qui exploite le traversier-rail entre Baie-Comeau et Matane, figurent parmi les plus beaux fleurons du fonds du Bas-Saint-Laurent. La participation des fédérations aux sociétés de développement de l'entreprise québécoise (SODEQ) entre 1978 et 1982, et aux sociétés régionales d'investissement (SRI) à partir de 1992, représente une autre forme d'engagement des caisses dans le développement économique du milieu.

Depuis trente ans, au gré de leurs priorités socio-économiques, les caisses font sentir leur présence aussi bien dans l'éducation que dans l'environnement, l'habitation, la création d'emploi, la lutte contre la pauvreté, l'aide aux jeunes, aux familles et aux aînés, l'intégration des communautés culturelles ou le développement régional et coopératif. Par exemple, à partir de 1977, le Mouvement Desjardins collabore activement à diverses expériences de concertations socio-économiques organisées dans la province (sommets économiques, forums pour l'emploi, Sommet québécois de la Jeunesse, etc.).

Après s'être associé au programme Corvée-Habitation, le Mouvement crée, en 1983, le Fonds de récupération Desjardins pour permettre la construction d'une usine de désencrage et l'établissement d'un réseau provincial de récupération de papier journal. En 1989, il s'engage plus à fond dans la protection de l'environnement en structurant ses interventions au moyen de l'*Option environnementale du Mouvement Desjardins*. Au début des années 1990, afin de soutenir l'emploi, le Mouvement Desjardins lance une campagne d'achat chez nous et s'associe à plusieurs partenaires pour faire la promotion du label Qualité-Québec destiné à faciliter l'identification des marchandises fabriquées ici. Et l'histoire se poursuit...

Le traversier-rail qui effectue la liaison entre Matane et Godbout, propriété de la société Cogema : l'un des plus beaux fleurons du Fonds d'investissement du Bas-Saint-Laurent. Archives de la Fédération du Bas-Saint-Laurent.

Si elles veulent continuer d'être étroitement associées au progrès et au développement du Québec, les caisses populaires Desjardins devront naturellement ouvrir leurs portes à tous ceux et celles qui souhaitent participer à la vie économique et sociale de leur terre d'adoption.

Jocelyn Proteau
Président de la Fédération
des caisses populaires
Desjardins de Montréal
et de l'Ouest-du-Québec
depuis 1988.

CHAPITRE 13

Ouvert sur le monde

La Terre vue de la Lune.
La mondialisation de l'économie crée une interdépendance à l'échelle de la planète.

Par sa participation à des projets de développement, par sa présence au sein d'associations de caisses de crédit et de banques populaires, par ses partenariats, ses relations d'affaires et ses intérêts financiers, le Mouvement Desjardins est chaque jour plus présent sur la scène internationale.

Une longue tradition

Ce rayonnement international n'est pourtant pas un phénomène nouveau. Il s'inscrit dans une longue tradition que l'on peut faire remonter jusqu'à Alphonse Desjardins. N'est-ce pas à la suite de trois années de correspondance avec des dirigeants de coopératives de crédit européennes qu'il a lancé la Caisse populaire de Lévis ? Quelques années plus tard, n'a-t-il pas, à son tour, partagé son expérience avec ses voisins américains ? Souvenons-nous que Desjardins a séjourné aux États-Unis à cinq reprises entre 1908 et 1911 pour y donner des conférences et y fonder des caisses populaires. Dans certains États de la Nouvelle-Angleterre, Desjardins a d'ailleurs conseillé les gouvernements dans la rédaction de projets de loi pour autoriser la création de coopératives d'épargne et de crédit semblables aux caisses populaires.

Ses successeurs se tiennent toutefois en retrait de la scène internationale pendant quelques décennies. Le manque de ressources qui afflige les unions régionales au cours des années 1920, la crise des années 1930 et la Seconde Guerre mondiale créent en effet des conditions peu propices à l'établissement de relations internationales.

La Caisse populaire Ste. Mary's à Manchester (N.H.), première coopérative d'épargne et de crédit des États-Unis, a été fondée par Alphonse Desjardins en 1908. Photo : Pierre Goulet, CCPEDQ.

Arrivée des délégués européens, le 15 septembre 1957, à l'occasion du Congrès international des caisses populaires et du 25e anniversaire de fondation de la Fédération de Québec des unions régionales des caisses populaires Desjardins.
Photo : Studio Gosselin, Lévis. CCPEDQ.

Ce n'est qu'en 1950, au moment de son cinquantième anniversaire, que le Mouvement Desjardins réapparaît sur la scène internationale. L'affiliation de la fédération provinciale à l'Institut international de l'épargne, et la tenue, à Lévis, du Congrès international des caisses populaires Desjardins et des *credit unions* donnent le premier signal de cette ouverture sur le monde. Peu de temps après, la fédération adhère à la Confédération internationale du crédit populaire (CICP) et entame des relations avec plusieurs autres associations européennes regroupant des coopératives de crédit. Pour souligner son 25e anniversaire, la fédération provinciale organisera, en 1957, un second congrès international où elle accueillera des délégations étrangères encore plus nombreuses qu'en 1950.

Après plusieurs années d'hésitation liées à un désaccord interne, la fédération provinciale va adhérer, en 1957, au Conseil de la coopération du Québec (CCQ). Grâce à cette affiliation, elle entre officiellement en relation avec le Conseil canadien de la coopération, formé en 1946, qui fait le pont entre tous les coopérateurs canadiens de langue française et l'Alliance coopérative internationale (ACI). À la même époque, la fédération multiplie les contacts avec les associations qui regroupent les caisses populaires et les *credit unions*, tant au Canada qu'aux États-Unis.

De nos jours, le Mouvement Desjardins est actif au sein de la Confédération internationale des banques populaires (CIBP), de la Fédération internationale des coopératives et mutuelles d'assurances (ICMIF) – dont sont membres le Groupe vie Desjardins-Laurentienne et la Société de portefeuille du Groupe Desjardins, assurances générales – et de l'Association internationale des banques coopératives (AIBC), dont le conseil d'administration est présidé par Claude Béland depuis 1995.

Participants au congrès de l'Alliance coopérative internationale qui a eu lieu à Québec, à la fin d'août 1999.
Photo : Ghislain DesRosiers, CCPEDQ.

LE PARTAGE D'UNE EXPERTISE

Durant les années 1960, l'Institut coopératif Desjardins contribue au rayonnement international du Mouvement par l'accueil de stagiaires venus d'Asie, d'Amérique latine et d'Afrique pour se familiariser avec la formule coopérative. Ces relations préparent le terrain aux engagements futurs du Mouvement Desjardins dans les pays en développement. En 1970, une entente est conclue entre la fédération provinciale et un organisme français, la Compagnie internationale

Développement international Desjardins a été actif d'abord en Afrique, avant de prolonger son action en Amérique latine et en Asie.
CCPEDQ.

de développement rural (CIDR), pour la réalisation d'un projet d'établissement de deux caisses populaires, l'une au Cameroun et l'autre en Haute-Volta (Burkina Faso). C'est dans cette foulée qu'un groupe de dirigeants du Mouvement Desjardins participe, en novembre 1970, à la création de la Compagnie internationale de développement régional ltée (CIDR–Canada), qui agit à titre de partenaire de la CIDR française dont elle complète l'éventail des services en offrant l'expertise en matière de coopération d'épargne et de crédit. En 1980, la CIDR–Canada prend son propre envol en devenant la Société de développement international Desjardins (SDID). Des ressources financières accrues, qui lui viennent principalement de l'Agence canadienne de développement international (ACDI), lui permettent d'étendre à l'Amérique latine son champ d'intervention limité auparavant à l'Afrique. La SDID interviendra en Asie à partir de 1989 et en Europe centrale et de l'Est à compter de 1991.

Développement international Desjardins (DID, depuis 1994) est aujourd'hui présent dans quelque 25 pays, en Asie, en Europe, en Afrique et en Amérique, où il contribue notamment à la mise sur pied et au renforcement de réseaux de coopératives d'épargne et de crédit. L'expertise de la société dans des domaines aussi variés que le microfinancement, la monétique, l'informatique, la réingénierie, la gestion du changement, l'encadrement légal, les assurances, le financement de l'habitat, etc., est reconnue à travers le monde. De plus en plus, DID réalise ses activités en collaboration avec d'autres composantes de Desjardins et des partenaires d'autres secteurs coopératifs du Québec, du Canada et même de l'étranger. Sur le plan mondial, DID est aujourd'hui l'une des plus importantes sociétés d'intervention associées au développement d'entreprises coopératives.

Un vaste réseau de correspondants bancaires

Progressivement, à partir de la fin des années 1970, le contexte de concurrence toujours plus vive a convaincu le Mouvement Desjardins de la nécessité de « sortir du Québec ». Il fallait d'abord répondre aux besoins des membres et leur donner accès à des services financiers partout dans le monde. Principale représentante du Mouvement Desjardins à l'étranger, la Caisse centrale Desjardins s'est appliquée à tisser un vaste réseau de correspondants bancaires en plus de signer des accords de coopération d'affaires avec de nombreuses institutions telles la US Central Credit Union (États-Unis), la Banca Popular Español (Espagne), la National Financiera (Mexique), le Crédit mutuel (France), la DG Bank (Allemagne), la Caisse centrale des banques populaires (France), la Banque centrale populaire (Maroc), la Bank Hapoalim (Israël), la Vietnam Bank for Agriculture, l'Industrial and Commercial Bank et l'Export-Import Bank (Viêt-nam). En 1992, la Caisse centrale Desjardins inaugurait, à Hallandale en Floride, le premier établissement bancaire du Mouvement à l'extérieur du Canada, la Desjardins Federal Savings Bank. Cette filiale de la Caisse centrale Desjardins offre la gamme complète de produits et services financiers aux membres et clients Desjardins qui visitent la Floride ou y résident.

En 1992, la Caisse centrale Desjardins inaugurait, à Hallandale en Floride, le premier établissement bancaire du Mouvement à l'extérieur du Canada, la Desjardins Federal Savings Bank.
Photo : Bernard Bellerose, Caisse centrale Desjardins.

À LA RECHERCHE DE NOUVEAUX MARCHÉS

Si l'on voulait « sortir du Québec », c'est aussi parce que l'on jugeait de plus en plus pressant pour Desjardins de croître sur de nouveaux marchés. Au tournant des années 1990, Investissement Desjardins (ID) entrait sur le marché international en se joignant au Fonds Épargne développement, géré par les Caisses d'épargne Écureuil de France, qui réunit plusieurs groupes financiers européens, investisseurs en capital de risque, comme ID. Desjardins voulait ainsi se mettre en position pour aider ses entreprises à trouver des occasions d'affaires en Europe, pour amener des groupes européens à s'engager au Québec comme co-investisseurs, et pour favoriser l'implantation chez nous de compagnies européennes. En 1993, la SID prenait une participation dans Siparex, provinces de France, afin de faciliter l'accès au marché européen pour ses entreprises en portefeuille.

Claude Béland.
Photo : Pierre Manning.

Claude Béland : l'architecte du « nouveau Desjardins »

« Les entreprises qui réussissent sont celles qui ont les valeurs les plus précises, les mieux connues et qui peuvent toujours s'y référer dans leurs décisions quotidiennes[1]. » Pour Claude Béland, c'est l'une des fonctions essentielles du président de rappeler sans cesse les objectifs du Mouvement et les principes vitaux qui l'inspirent. Communicateur reconnu, pénétré des valeurs de la coopération depuis son jeune âge – il est le fils de Benjamin Béland, président de l'Union régionale des caisses populaires de Montréal de 1950 à 1954 –, il s'acquitte de sa mission d'animateur auprès de ses troupes avec un enthousiasme et un plaisir manifestes.

Dès son arrivée à la présidence, le 20 janvier 1987, il s'attelle à l'importante tâche de la réforme des structures du Mouvement afin d'en raffermir le caractère démocratique, de renforcer la concertation entre les composantes et de faciliter son ouverture internationale. Accompli en 1989, ce remodelage a tellement transformé en profondeur le Mouvement que des observateurs ont parlé d'un « nouveau Desjardins ». Mais la métamorphose entreprise sous la présidence de Claude Béland ne s'arrête pas là. Après avoir piloté les négociations qui allaient mener à l'acquisition du Groupe La Laurentienne (1994) et à la naissance de la Société financière Desjardins-Laurentienne, il donne le coup d'envoi à l'important programme de réingénierie des caisses (1994) et préside au redéploiement du réseau de distribution des caisses (à partir de 1994), à la restructuration organisationnelle de la Confédération (1994) et à la révision de la structure démocratique et décisionnelle dans les caisses et dans l'ensemble du Mouvement (1996-1999).

Avocat spécialisé en droit des coopératives et en droit commercial, professeur de droit au sein de plusieurs institutions (1959-1985), Claude Béland participait en 1962 à la création de la Fédération des caisses d'économie du Québec (FCEQ) dont il devient le conseiller juridique en 1971, puis le directeur général en 1979. Il est l'un des instigateurs de l'affiliation de la FCEQ à la nouvelle Confédération des caisses populaires et d'économie Desjardins du Québec en 1979. Rassembleur, Claude Béland a également réalisé l'affiliation des fédérations de caisses populaires de l'Ontario, du Manitoba et de l'Acadie en 1989 et 1990.

1. Propos de Claude Béland recueillis par Michel Roy, « Les objectifs du Mouvement et les valeurs qui l'inspirent », *Forces*, 91 (automne 1990), p. 18.

La Fiducie Desjardins, pour sa part, établissait en 1997 des ententes avec une trentaine de pays pour rejoindre la clientèle des immigrants investisseurs. Dans le secteur des assurances générales, en décembre 1989, les Assurances du Crédit mutuel (de France) investissaient 15 millions de dollars dans les Assurances générales des caisses Desjardins (AGCD), ouvrant au Mouvement une nouvelle porte sur le marché européen. Du côté de l'assurance de personnes, l'Assurance-vie Desjardins dessert des marchés à l'extérieur du Québec, notamment par l'entremise de sa filiale ontarienne, La Compagnie d'assurance vie Laurier, acquise en 1989. La fusion de l'AVD et de La Laurentienne, qui possédait L'Impériale, est une autre une étape marquante vers la réalisation de la stratégie de pénétration des marchés hors Québec.

La présence internationale du Mouvement Desjardins se manifeste également par des maillages avec des coopératives d'épargne et de crédit au Canada, aux États-Unis et en Europe. Au pays, on le sait, Desjardins concluait en 1989 et 1990 trois ententes de coopération avec les fédérations des caisses de l'Ontario, du Manitoba et de l'Acadie, permettant à ces dernières de devenir membres auxiliaires de la Confédération et d'avoir accès aux mêmes services que les membres réguliers. Outre leurs avantages économiques manifestes, ces alliances contribuent à la vitalité des relations entre le Québec et les francophones des autres provinces canadiennes. En 1990, Desjardins nouait des liens avec la Canadian Co-operative

Le nouveau président du Mouvement Desjardins, Alban D'Amour, a été élu par un collège électoral élargi, le 19 février 2000. Son mandat, renouvelable, est d'une durée de quatre ans.

Credit Society qui regroupait alors au Canada anglais 1 500 *credit unions* détenant un actif de 30 milliards. Les deux géants de la coopération se sont entendus pour effectuer la compensation des chèques, l'un pour l'autre. À l'extérieur du Canada, la Confédération signait en 1989 un accord de coopération à plusieurs volets avec le Crédit mutuel de France (ressources humaines, services à la clientèle, opérations internationales, développement d'affaires, assistance technique)[2].

Au cours des dernières décennies, le Mouvement Desjardins a donc su se donner de nombreux points d'ancrage et une variété d'instruments qui lui permettent d'accompagner ses membres à l'étranger, d'exploiter de nouveaux marchés, de partager son savoir-faire et d'aider au développement de nombreux pays en y diffusant la formule coopérative. Toutes ces fenêtres ouvertes sur le monde prennent un intérêt renouvelé à l'heure de la mondialisation des marchés.

2. Madeleine Huberdeau, « Les services internationaux Desjardins. Des correspondants dans une cinquantaine de pays » et « Desjardins international : une fenêtre sur le monde », *La Revue Desjardins*, 2, 1990 ; Benoît Lévesque et Marie-Claire Malo, « Vue d'ensemble du Mouvement Desjardins en 1996 », p. 15-18 ; Ghislain Paradis, « Desjardins dans le monde : une présence modeste mais significative », dans Benoît Lévesque (dir.), *Desjardins : une entreprise et un mouvement ?*, Sainte-Foy, Presses de l'Université du Québec, 1997, p. 221-225 ; Mouvement des caisses Desjardins, *Rapport annuel 1998*, p. 38.

La Fresque des Québécois

La Fresque des Québécois.
Mur peint en trompe l'œil réalis
par Cité de la Création de Lyon
des artistes québécois dans le
quartier de Place-Royale. Parmi
la quinzaine de personnages qu
y sont représentés, on reconnaî
à gauche sous le portail,
Alphonse Desjardins.
Conception et réalisation:
Cité de la Création ©
Coproduction: Commission
de la capitale nationale
du Québec (CCNQ) et Société
de développement des entreprises
culturelles du Québec (SODEC).

Conclusion

Tout au long du xxe siècle, le Mouvement des caisses Desjardins a accompagné le développement économique et social du Québec et s'est avéré un formidable outil de prise en main individuelle et collective. Les caisses ont d'abord réussi à démocratiser et à décentraliser les services financiers, à les rendre accessibles à toutes les couches de la population et à les répandre dans l'ensemble des collectivités du Québec. Dans la première moitié du siècle, elles ont participé de très près à la modernisation de l'agriculture en fournissant aux cultivateurs le crédit dont ils avaient besoin pour améliorer leurs fermes ou acheter des équipements et de la machinerie. Après la Seconde Guerre mondiale elles ont élargi leur vocation en offrant des prêts hypothécaires qui ont aidé un grand nombre de familles à accéder à la propriété. Plus tard, le crédit à la consommation et le crédit commercial et industriel sont venus s'ajouter à la gamme de leurs services.

À titre d'entreprises coopératives, les caisses Desjardins ont permis à des générations de Québécois de manifester leur solidarité et d'agir collectivement pour développer leur économie à la fois sur les plans local, régional et national. La mise en commun d'une partie des capitaux propres accumulés par les caisses locales a rendu possible la création d'entreprises financières qui comptent aujourd'hui parmi les plus importantes au Québec. Avec le temps, le réseau des sociétés filiales s'est d'ailleurs étendu à tous les grands secteurs d'activité financière. On a même créé une société d'investissement pour participer au financement des entreprises et jouer ainsi un rôle encore plus actif dans le développement économique.

Bien qu'il soit difficile d'en mesurer les résultats, le travail d'éducation économique du Mouvement Desjardins vaut d'être signalé. Combien de jeunes Québécois ont assimilé les rudiments de l'épargne grâce à leur caisse scolaire ? Combien de Québécois et de Québécoises ont appris à mieux gérer leurs finances personnelles au contact de leur caisse ou d'une publication émanant du Mouvement ? Depuis cent ans, combien de dirigeants et de dirigeantes bénévoles ont profité de leur présence au conseil d'administration de leur caisse pour se familiariser avec les rouages du monde financier ?

Que dire des retombées sociales et économiques des dizaines de milliers d'emplois découlent de l'activité du Mouvement Desjardins. Les nombreux professionnels et hauts gestionnaires des caisses, des fédérations et des sociétés filiales contribuent quotidiennement, entre autres, au développement d'une solide expertise financière au sein de la société québécoise.

Les signes de l'influence durable du Mouvement Desjardins peuvent se lire dans l'identité même des Québécois. Car il ne fait pas de doute que les succès de ce mouvement coopératif ont fourni aux Québécois une partie des matériaux avec lesquels ils se sont forgé peu à peu, à partir de la Révolution tranquille, une nouvelle identité collective : celle d'un peuple dynamique et apte à la réussite économique.

DES ANNÉES MOUVEMENTÉES

Marquées par une croissance financière rapide, une diversification des activités et une adaptation à un environnement économique et social en perpétuel changement, les cinquante dernières années auront été particulièrement mouvementées. Le changement s'est d'ailleurs accéléré au cours de la dernière décennie, si bien qu'au moment de célébrer son centenaire, le Mouvement Desjardins vit une période de transformations très intense.

La nécessité d'améliorer la rentabilité du réseau, d'adapter l'offre de services des caisses à l'évolution des besoins de leurs membres et d'être en mesure de faire face à une concurrence que la mondialisation des marchés et l'utilisation des nouvelles technologies rendent de plus en plus vive, ont poussé les dirigeants à prendre une série de mesures radicales dont les effets touchent des structures et des façons de faire depuis longtemps établies. Les fusions de caisses et la réingénierie des processus d'affaires annonçaient déjà un important virage. Et voilà qu'à la suite du XVIIe congrès et des assemblées générales extraordinaires des fédérations, tenues le 4 décembre 1999, on procédera bientôt à la mise en place d'une fédération unique à partir de la fusion des fédérations de caisses et de la Confédération. Cette reconfiguration des organismes de soutien s'accompagne en outre d'une révision du processus décisionnel qui aura pour effet notamment de rendre exécutoires les décisions prises au niveau de la direction du Mouvement.

Tous ces changements ne vont pas sans soulever des inquiétudes chez les membres. Certains d'entre eux croient même que le Mouvement n'est plus fidèle à la pensée de son fondateur et l'accusent d'avoir renoncé à sa mission sociale. La force financière des caisses, leur offre de services semblable à plusieurs égards à celle des banques, le recours à des moyens comme l'augmentation des frais de service ou la réduction du personnel et des heures d'ouverture pour améliorer la rentabilité semblent nourrir une telle perception. Si elles ont le mérite de rappeler aux caisses les exigences d'équité et de solidarité qui découlent de leur mission sociale, les critiques trahissent parfois une conception romantique de la coopération assez peu attentive aux contraintes de la rentabilité. La caisse, on le sait, est à la fois une association de personnes et une entreprise dont la vitalité et la qualité des services tiennent à sa rentabilité. Les choses n'étaient pas différentes à l'époque d'Alphonse Desjardins. Même si la Caisse populaire de Lévis pouvait compter sur l'hospitalité et le bénévolat de ses dirigeants, ses services n'étaient pas tous gratuits. Pour assurer sa rentabilité, elle prélevait une commission sur les prêts, en plus des intérêts[1], et des frais d'encaissement étaient appliqués sur chaque effet (chèque ou autres) négocié à la caisse[2].

Il y a très longtemps que l'on s'inquiète pour le caractère coopératif des caisses. Le départ progressif des militants de la première heure et l'arrivée dans le Mouvement de nombreux spécialistes de la gestion souvent peu familiers avec la culture coopérative, la progression financière et l'importance croissante des préoccupations administratives soulevaient déjà beaucoup d'appréhensions dès les années 1960. Elles n'ont fait que s'accentuer dans les années 1970 et 1980, avec la croissance financière et avec le développement de l'informatique et des services automatisés.

Le défi d'un juste équilibre

Mais les sombres prédictions ne se sont pas réalisées. Si les temps héroïques sont révolus, si la modestie des moyens a fait place à une certaine opulence, si la technologie ne cesse de réduire l'espace des rapports humains dans les services de convenance, il n'en reste pas moins que les caisses Desjardins ont su préserver et mettre en valeur les éléments fondamentaux sur lesquels se fonde leur distinction coopérative : la propriété des membres et le mode de fonctionnement démocratique. Comme à l'époque d'Alphonse Desjardins, et malgré tous les changements survenus depuis, la caisse demeure la propriété de ses membres qui l'administrent démocratiquement selon la règle « un homme, un vote ». Comme au temps d'Alphonse Desjardins la caisse est une institution bien ancrée dans son milieu, un outil de développement aux mains de la collectivité qu'elle dessert. Et s'il en est ainsi, c'est que l'idéal d'Alphonse Desjardins est toujours vivant parmi les membres et les dirigeants des caisses et que « derrière les milliards de Desjardins, comme l'écrivait Laurent Laplante en 1990, on trouve une éthique, c'est-à-dire la possibilité pour cet immense réservoir de capitaux de se rappeler lui-même à l'ordre et de toujours se remettre en face de ses devoirs[3] ». À cet égard, les caisses, comme toutes les entreprises coopératives, sont confrontées à un défi permanent qui consiste à garder un juste équilibre entre les impératifs financiers et les préoccupations sociales et à concilier la promotion des valeurs coopératives avec les stratégies de gestion et de rentabilité.

Fruit d'une expérience d'action économique et sociale hors de l'ordinaire, le Mouvement Desjardins aura laissé une empreinte profonde dans l'histoire du XXe siècle québécois. L'imposant patrimoine financier dont il est aujourd'hui le gardien, les valeurs de solidarité et de démocratie, la culture d'action collective, l'expertise et les savoirs dont il est porteur constituent un héritage d'une valeur inestimable. Il est à souhaiter que de nombreuses générations continuent de se le transmettre tout en le bonifiant.

1. Procès-verbaux du conseil d'administration de la Caisse populaire de Lévis, 23 décembre 1900 et 8 janvier 1902.
2. Procès-verbaux du conseil d'administration de la Caisse populaire de Lévis, 8 janvier 1902, 14 novembre 1906.
3. Laurent Laplante, « Les secrets de la réussite de Desjardins », *Forces*, 91 (automne 1990), p. 62.

LE SIÈCLE EN CHIFFRES

	Nombre de caisses existantes	Nombre de rapports compilés	Nombre de membres	Actif total des caisses Desjardins (en millions $)	Actif total du Mouvement Desjardins au Québec (en millions %)	Actif total du Mouvement incluant les fédérations hors Québec (en millions $)
1915	114	91	23614	2	–	–
1920	140	100	31029	6	–	–
1930	201	177	45767	11	–	–
1940	544	536	119668	21	–	–
1950	1097	1084	599517	224	–	–
1960	1253	1227	1211041	688	–	–
1970	1330	1293	2496080	2136	2528	–
1980	1372	1372	3350000	11655	13000	–
1990	1329	1329	4505895	37128	45204	47681
1999	1143	1143	5125557	63031	73107	76747

La documentation à la base de cet ouvrage provient essentiellement des trois tomes de l'*Histoire du Mouvement Desjardins*, dont la référence est donnée dans cette bibliographie, des rapports annuels de la Confédération des caisses populaires et d'économie Desjardins du Québec, de *La Revue Desjardins* et de revues de presse conservées aux archives de la Confédération et aux archives de l'Assurance vie Desjardins-Laurentienne. Les articles et ouvrages suivants fournissent également d'utiles renseignements ainsi que des bibliographies.

BUREAU, Brigitte. *Un passeport vers la liberté. Les caisses populaires de l'Ontario de 1912 à 1992.* Le Mouvement des caisses populaires de l'Ontario, 1992. 330 p.

DAIGLE, Jean. *Une force qui nous appartient. La Fédération des caisses populaires acadiennes.* Moncton, Les Éditions d'Acadie, 1990. 298 p.

GAUTHIER, Maurice. *De la table de la cuisine à la rue principale. 50 ans d'histoire des caisses populaires du Manitoba. 1937-1987.* Conseil de la coopération du Manitoba, [1988?]. 459 p.

LAMARCHE, Jacques. *Alphonse Desjardins, un homme au service des autres.* Lévis, Fédération de Québec des caisses populaires Desjardins, Montréal, Éditions du Jour, 1977. 173 p.

LÉVESQUE, Benoît (dir.). *Desjardins. Une entreprise et un mouvement ?* Sainte-Foy, Presses de l'Université du Québec, 1997. 352 p.

LÉVESQUE, Benoît et Marie-Claire MALO. « Vue d'ensemble du Mouvement Desjardins en 1996 », et « Quelques enjeux concernant le Mouvement Desjardins : de l'intérêt individuel à l'intérêt général », dans *Desjardins et la réingénierie. Colloque syndical.* Québec, CSN, 10, 11 et 12 mars 1997.

POULIN, Pierre. *Histoire du Mouvement Desjardins*, tome I : *Desjardins et la naissance des caisses populaires, 1900-1920.* « Collection Desjardins », Montréal, Québec-Amérique, 1990. 373 p.

POULIN, Pierre. *Histoire du Mouvement Desjardins*, tome II : *La percée des caisses populaires, 1920-1944.* « Collection Desjardins », Montréal, Québec-Amérique, 1994. 449 p.

POULIN, Pierre. *Histoire du Mouvement Desjardins,* tome III : *De la caisse locale au complexe financier, 1945-1971.* « Collection Desjardins », Montréal, Québec-Amérique, 1998. 479 p.

POULIN, Pierre et Guy BÉLANGER. « Alphonse Desjardins », *Dictionnaire biographique du Canada,* vol. XIV : *de 1911 à 1920.* Québec et Toronto, Presses de l'Université Laval, University of Toronto Press, 1998. P. 311-315.

ROBY, Yves. *Alphonse Desjardins et les caisses populaires, 1854-1920.* Montréal, Fides, 1964. 149 p.

ROBY, Yves. *Les caisses populaires. Alphonse Desjardins. 1900-1920.* [Lévis, La Fédération de Québec des caisses populaires Desjardins, 1975]. 113 p.

ROUSSEAU, Yvan et Roger LEVASSEUR. *Du comptoir au réseau financier. L'expérience historique du Mouvement Desjardins dans la région du centre du Québec, 1909-1970.* S.l., Boréal, 1995. 388 p.

RUDIN, Ronald. *In Whose Interest ? Quebec's Caisses Populaires, 1900-1945.* Montréal et Kingston, McGil-Queen's University Press, 1990. 185 p.

VAILLANCOURT, Cyrille et Albert FAUCHER. *Alphonse Desjardins pionnier de la coopération d'épargne et de crédit en Amérique. Volume souvenir du cinquantième anniversaire de la Caisse populaire de Lévis.* Lévis, Éditions Le Quotidien ltée, 1950. 232 p.

VALLIÈRES, Marc, avec la collaboration de Christian LAVILLE et de Guy BÉLANGER. *Histoire de L'Assurance-vie Desjardins, 1948-1990.* Document inédit, [Assurance vie Desjardins-Laurentienne] mars 1996. 417 p.

56
53